빛깔있는 책들 103-6

경주 남산

하나

글/윤경렬 ● 사진/ 김구석, 윤열수

 대원사

김구석
동국대학교 대학원 미술사학과에서 불교미술을 전공하고, 서라벌대학에서 '문화유산'을 강의하였으며, 경주남산연구소를 설립 운영하며, 문화유산 현장답사를 강의하고 있다.

윤열수
동국대학교 대학원 미술사학과 졸업, 삼성출판사 박물관에서 학예연구원으로 일했으며 현재 동국대학교 교수, 가회박물관 관장으로 재직하고 있다.
저서로『한국의 호랑이』『통도사의 불화』『괘불』『불교 목공예』『신화속 상상동물 열전』등 많은 저서가 있다.

경주 남산(하나)

사진으로 보는 경주 남산(하나)

남산의 마애좌불 경주 남산은 옛 신라의 도읍이던 서라벌 남쪽에 솟아 있는 산으로,
금오봉과 고위봉에서 흘러내리는 40여 개의 계곡과 산줄기들을 일컫는다. 이 산에는
아득한 석기시대 유적에서부터 신라 건국 설화에 나타나는 나정 그리고 신라의 종말
을 맞았던 포석정 등이 자리하고 있는 신라 역사의 산이기도 하다.(앞)
나정 하늘에서 하얀 말이 밝은 알을 안고 우물가에 내려왔다. 그 알에서 박혁거세가
태어났다는 신비의 우물 자리이다.(위)

포석정 유체역학(流體力學)을 이용하여 술잔이 돌 홈을 따라 흐르게 한 풍류의 쉼터
  이기도 하지만 신라의 마지막을 함께 한 역사의 장소이기도 하다.

남산성　직사각형으로 다듬은 돌로 쌓아 올린 남산성은 둘레가 약 4킬로미터에 이른
다. 진평왕 13년(591), 전국에서 차출된 장정들은 남산 신성비를 세우고 공사를 하였
다.

돌축대 양조암 계곡에 들어서면 만나는 첫 절터로, 2중으로 쌓은 돌축대가 허물어져
있다. 깨어진 석조물들이 돌 사이에 섞여 있다.(왼쪽)

불상 대좌편 양조암 사지 불상은 파괴가 심하여 대좌들도 조각이 나 있다. 위의 사진
은 불상 대좌의 중대석이었던 것으로 비천(飛天)이 부조되어 있고 아래 사진은 대좌
의 하대석으로 도식화된 복련(伏蓮)이 표현되었다.(오른쪽)

13

새갓골 돌축대 남산 남쪽면 새갓골에는 큰 절이 있었다. 높은 바위 벼랑에 돌축대를
 보충하여 마련한 건물 터가 여러 곳에 있다.(왼쪽)
불상과 석재 남산의 여러 절터에는 파괴된 법당이 제법 많이 보이는데, 넘어진 불신도
 보인다.(오른쪽)

연화대석편 국사골 1사지 법당 터 옆에 뒹구는 연화대석편은 8각형을 기본으로 하여 연꽃을 새긴 것으로, 위의 사진은 8각 면마다 안상이 있고 꽃잎마다 보상화가 장식된 화려한 것이다. 아래 사진은 정제된 형태의 연화대석으로 절반이나 떨어져 나갔다. (왼쪽)

막새 기와편 다양한 형태의 연꽃이 표현된 암막새와 수막새이다. 문양의 화려함으로 당시 번영했던 사찰의 면모를 짐작할 수 있다.(오른쪽)

별천룡골 탑재 별천룡골은 남쪽 남산의 마지막 골짜기이다. 이곳에 한 절터가 있는데 지금은 주춧돌과 탑재, 난간석들이 흩어져 있을 뿐이다.

잠늠골 석탑재 비파골의 잠늠골 사지에는 흩어진 석탑이 있다. 원형을 추측하여도
3미터 정도밖에 되지 않는 작은 것이었을 텐데, 이 작은 탑에서 느껴지는 강인함은
화려한 옥개석과 달리 석질의 느낌을 살려 얼금얼금 다듬은 기단부에서 오는 것이
다.

장창골 삼존불 장창골 정상에서 발견된 이 불상들은 지금 국립경주박물관에 진열되어
있다. 삼국시대의 불상으로 왼쪽 사진의 본존불은 우리나라에 단 하나밖에 없는 의상
(倚像)이다.

왕정골 사지 반월성에서 바로 앞에 보이는 계곡이다. 지금 절터에는 2개의 석탑 옥개
석만이 뒹굴고 있다.(왼쪽)
왕정골 여래상 오랫동안 식혜골 발견 여래상이라고 전해 왔는데, 고(故) 최남주 선생
의 증언으로 왕정골 여래라고 불리게 되었다. 지금은 경주박물관에 소장되어 있다.
(오른쪽)

삿갓골 여래상 지금은 파손이 심하여 허리의 윗부분만 남아 있으나 세련되고 풍만한
조각 솜씨에서 신라 조각의 황금 시대를 본다.(왼쪽)
　　오른쪽은 신라 불상에서 드물게 보이는 입상의 연화대좌로 중대석 없이 직접 앙련꽃
을 얹고 왼쪽의 여래상이 서 계셨을 것이다.

보리사 여래 좌상 남산에 있는 여래 좌상 중에 형태가 가장 완벽히 남아 있는 상이다. 오른쪽은 배광의 뒷면에 얇은 돋을새김으로 약사여래 좌상이 새겨져 있는 것이다. 약사여래가 동방세계의 부처인 까닭에 보리사 여래 좌상은 서방정토의 아미타여래상 일지도 모른다.

보리사 여래 좌상의 얼굴(부분 확대) 어디선가 본 듯한 얼굴, 정든 얼굴이다.(앞)
보리사 마애 여래 좌상 등신대도 못 되는 이 작은 부처님은 다소곳이 숙인 돌에 새겨
져 있어 비를 맞지 않는다.(왼쪽)
보리사 마애 여래 좌상의 얼굴 양쪽 뺨 가득히 미소를 간직한 이 부처는 그 옛날 17
만 8936호 서라벌 시민들의 안전을 굽어살피고 계셨던 분이기도 하다.(오른쪽)

30

약수골 마애불　약수골에는 높은 바위들이 고층 건물처럼 솟아 있다. 그 중 한 바위에
　여래상이 새겨져 있는데 약 10미터의 높이로 남산에서 제일 큰 불상이다.
　　오른쪽은 이 마애대불을 위에서 본 것으로서 머리를 연결하였던 자리와 두 귀와 두광
　이 놓였던 자리가 남아 있다.

윤을골 마애불 보통 유느리골 부처님이라 부르는데 남향으로 2체, 서향으로 1체의
부처님이 커다란 바위에 새겨져 있다.(왼쪽)
　　서향으로 앉은 여래상은 왼손에 여의주를 들고 결가부좌하였는데 신광과 두광에
4체의 화불이 있다. 서향으로 앉았지만 남방 환희세계의 보생여래로 생각된다.
(오른쪽)

게눈바위 경주에서 남산성을 쳐다보면 둥실한 봉우리에 두 개의 눈이 있어 게눈바위
(蟹目嶺)라 부른다. 사진은 오른쪽 눈으로 여겨지는 바위인데 큰 알터가 있다.
(왼쪽)
부부바위 냉골 마애좌불 곁에 있다. 오래 떨어져 있던 부부가 상봉하는 듯 감격스럽게
보인다.(오른쪽)

상사바위 사랑에 병든 사람들의 소원을 들어준다는 상사바위의 남자 모습이다.
(왼쪽)

큰 지바위 아래에 작은 지바위가 있고 위에 큰 지바위가 있어 이 계곡을 지바위골이
라 한다. 부근에 옛 절터가 많으며, 겨울에도 환자들이 이 바위에서 쾌유를 빈다.
(오른쪽)

상사암 이 험상궂은 바위더미는 아득한 옛날부터 사랑에 병든 사람들의 소원을 들어주던 바위로 지금도 감실 안은 소원을 비는 사람들의 촛불에 그을려 있다.

상사암 아래의 기도처

여래 입상 상사암의 감실 밑에 선 여래상으로, 오랫동안 토속신앙과 불교가 밀착된
　　채 신앙되어 왔음을 알 수 있다.(왼쪽)
산신당 이 바위는 자손을 점지해 주는 바위로 신앙되어 왔다. 조선시대에 어느 분이
　　감사의 뜻으로 새겨 놓은 산신당(産神堂) 명문이 있다.(오른쪽)

감실 여래상 석수장이가 돌을 쪼아 부처님을 만든 것이 아니고 돌 속에 숨어 계신 부처님을 찾고 있다. 다소곳이 머리 숙여 감실 안에 앉은 여래상에서 신라인의 얼굴을 본다.

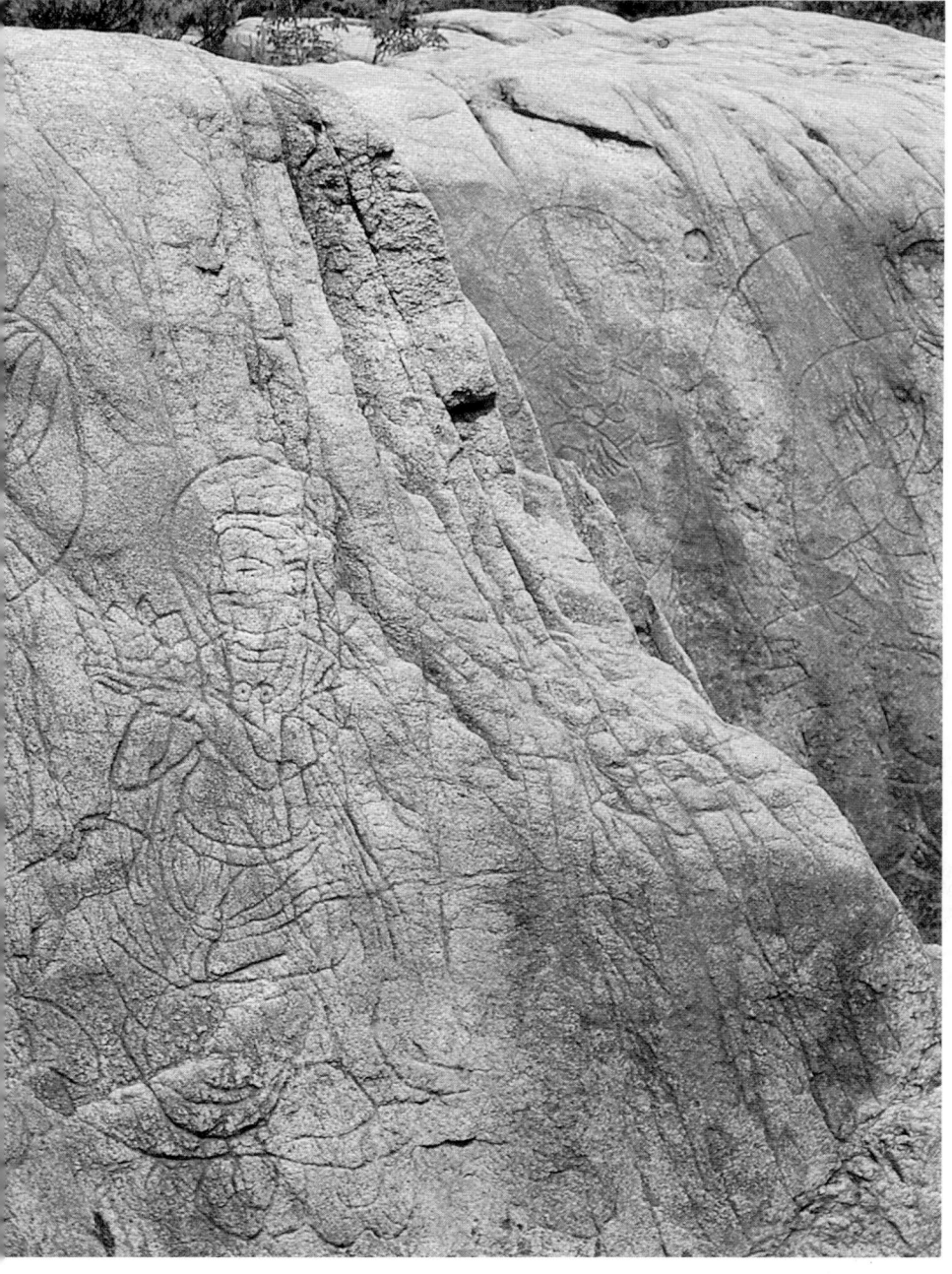

선각 아미타 삼존불 석가 삼존은 여래가 앉으시고 협시보살이 서 계신 데 비해 이곳에
서는 여래가 서 계시고 협시보살이 앉아 계신다.(앞)

마애 대좌불 남산에서 제일 큰 좌불인 이 마애불은 높이 5.2미터로, 얼굴은 입체에
가까울 정도로 돋을새김한 반면, 몸체는 매우 밋밋한 음각선으로 처리하였다. 의
습선이나 승기지 등이 드러나는 세밀한 묘사를 하였다. 왼쪽은 마애 대좌불의 전신이
고 오른쪽은 불신의 부분을 확대한 것이다.

냉골 마애 대좌불 머리(왼쪽)
냉골 약사여래상 현재 국립중앙박물관에 있는 석조상으로, 두광과 신광에 화불이
  표현되었고 화염문이 주위를 감싸고 있다.(오른쪽)

냉골 여래 좌상 냉골 어귀 길 옆에 있다. 부근에 묻혔던 것을 근래에 파 낸 것인데 머리와 손이 떨어져 나가 정확한 명칭을 말하기는 어렵다.(왼쪽)
위의 부분 사진에서 보듯이 왼쪽 어깨의 가사끈과 허리에 맨 군삼끈이 매듭지어져 있어 주목을 받는 상이다.

양피사 쌍탑 보통 남산리 석탑이라 불리우는 탑으로 동,서탑의 양식이 달라 변화있는
조화를 즐기려는 우리 겨레의 미감을 드러낸다.(앞)
동탑 분황사 전탑을 본받은 모전석탑(模塼石塔)으로 옥개, 낙수면에 계단을 만든
것이 특징이다. 기단돌의 이음자리가 서로 어긋나 있어 안정감을 준다.(위)

서탑 목탑과 전탑을 절충한 전형적인 신라 탑이다. 상층 기단에 팔부신중을 새긴 것은
부처님 사리를 하늘 위에 모시려는 마음이었다.

양피사 석재 양피못 부근에 흩어져 있는 장대석이며 복련꽃이 새겨진 석등대석 등은
양피사에 관련되었던 것들이다.

염불사 서탑 염불 스님이 살았다는 염불사는 양피사 곁에 있었다고 하는데 지금 그 터에는 허물어진 쌍탑만 남아 있다.(왼쪽)

창림사 삼층 석탑 남산에서 규모가 제일 큰 탑이다. 이 탑에도 상층 기단에 팔부신중이 새겨져 있었는데 지금은 넷밖에 없다.(오른쪽)

아수라상 창림사 탑의 기단에 새겨진 지옥을 대표하는 아수라상은 얼굴이 셋, 팔이
여덟으로 여덟 개의 팔에 무기가 들려 있다.(왼쪽)
귀부 신라 명필 김생의 글씨로 세웠다는 창림사 비석의 귀부(龜趺)이다. 이 시대에는
두 마리의 거북으로 비석을 받친 것이 특징이다.(오른쪽)

경주남산(하나)

역사의 산

경주 남산은 옛 신라의 도읍이던 서라벌 남쪽에 솟아 있는 산이다. 서쪽에는 선도산, 벽도산, 옥녀봉이 솟아 있고 북쪽으로는 독산, 금강산, 금학산 등이 나란히 솟아 있다. 동쪽으로는 낭산, 명활산이 솟아 있으며 멀리 토함산 연봉이 겹으로 둘러막고 있어 서라벌은 천연 성벽으로 둘러싸인 아늑한 터전이다.

경주에서 남쪽으로 바라보이는 높은 봉우리는 높이 468미터 되는 금오봉이고, 그 남쪽에 높이 494미터 되는 고위봉(高位峰 ; 수리산)이 솟아 있다. 이 두 봉우리에서 흘러내리는 40여 개의 계곡과 뻗어 내린 산줄기들을 모두 합쳐 경주 남산이라 부른다.

이 산에는 아득한 석기시대 유적부터 신라 건국 설화에 나타나는 나정과 신라 국방의 심장부였던 남산성 그리고 신라의 종막을 내리게 했던 포석정 등이 모두 자리해 있으니 남산은 바로 신라 역사의 산이라 하겠다.

석기시대 유적

　남산에서는 기원전 10～6세기경 유물로 추정되는 민무늬토기 (無文土器) 편, 마제 돌도끼(磨製石斧), 마제 돌칼(磨製石刀), 홈 있는 자귀(有溝石斧), 방적차(紡績車) 등이 발견되었으며 유적으로는 고인돌(支石墓)이 있다. 이러한 유물들은 문화가 발달하지 못해 맨발로 다니며 돌멩이로 짐승과 싸우고 작살이나 그물로 물고기를 잡으며, 서투른 솜씨로 농사도 짓고 그릇도 굽던 시대의 우리 조상들이 살던 모습을 보여 준다. 끈기와 지혜로 어려운 역경을 이겨 낸 위대한 조상들이 살던 흔적이다.

　신석기시대 유물들이 가장 많이 발견되는 곳은 남산 서쪽의 황금대(黃金臺) 부근과 창림사(昌林寺) 부근이고, 동쪽은 칠불암(七佛庵) 어귀에 있는 까치봉이다. 유적들이 산허리에 있는 것은 양지발라 농사 짓기 편하고, 침입하는 적을 빨리 발견할 수 있는 곳이기 때문이라 한다. 고인돌이 많이 있는 곳은 오산골(鰲山谷) 어귀 언덕인데, 지금은 많이 없어지고 5, 6기 정도만 남아 있을 뿐이다.

나정(蘿井)

　나정은 남산 서쪽 기슭 우거진 송림 속에 있다. 기원전 69년 3월 초하루, 고허촌장 소벌도리가 양산(楊山)에서 나정을 바라보니 하얀 말 한 마리가 우물가에서 절하는 형상을 하고 있었다. 조심스레 다가가니 말은 인기척에 놀라 하늘로 올라가고 그 자리에 붉은 (밝은) 알 하나가 있었다. 알을 가르니 그 속에서 잘생긴 사내애가 나왔다.

　소벌도리는 기뻐 아기를 안아다가 새샘(東泉)에서 목욕을 시켰다. 몸에서는 광채가 나고 새들과 짐승들이 춤을 추며 아기 탄생을 축하했고 해와 달이 청명해지므로, 아기 이름을 혁거세(赫居世) 또는 밝은이(弗炬內)라 했다. 이 아기가 진한(辰韓) 6부 촌장 회의에서 추천되어 신라의 첫 임금으로 즉위하니 이로써 신라가 건국하게 된 것이다.

이러한 설화는 밝음을 숭상하는 우리 조상들의 꿈을 나타낸 것이다. 하얀 말이 길게 울며 흰 구름을 헤치고 푸른 하늘로 사라지는 모습을 상상해 보라. 이렇게 맑고 밝음을 숭상한 민족이 어느 곳에 있겠는가. 그러기에 그 이름이 밝은이, 박혁거세 거서간이신 것이다.

지금 나정은 돌뚜껑이 덮여 있고, 거서간이 탄생한 내력을 새긴 비석(조선 순조 2년, 1802년에 세움)이 비각 안에 서 있다.

남산 신성(南山新城)

나라마다 그 나라를 지키는 성이 있다. 신라를 지키던 가장 중요한 성이 남산에 있었으니 그 이름이 남산 신성이다. 아마 남산에는 오랜 옛날부터 성이 있어 남산성이라 했는데, 신라가 커짐에 따라 성을 다시 쌓고 남산 신성이라 했던 모양이다.

남산 신성은 둘레가 약 4킬로미터쯤 된다. 성벽 부근에서 여러 개의 신성비(新城碑)가 발견되었는데 이 중에서 가장 완벽하게 남아 있는 비문은

"신해년(진평왕 13, 서기 591) 2월 26일, 나라에서 정해 준 법대로 남산 신성을 쌓는데 '쌓은 후 3년 안에 허물어지면 벌을 받을 것'이라고 하신 임금님의 명을 어김없이 지킬 것을 맹세합니다."

로 시작되어, 차출된 지방(成安郡 ; 宜寧郡)의 인부 대표자들과 석수, 목공 등 기술자 대표 12명의 이름과 서울에서 온 감독자(大舍級) 3명의 이름으로 끝난다. 그리고 이들이 명을 받은 11보 3척 8촌의 성벽 길이가 적혀 있다.

현재까지 남산 신성에서는 이러한 비석들이 모두 6개 발견되었는데, 2개는 완전하나 나머지는 깨어진 단편들이다. 그러나 인부들이 차출된 지방이 다르고 서약한 대표자들의 이름이 다른 것을 알 수 있다. 이러한 신성비는 앞으로 더 발견될 것으로 기대된다.

전국 각지에서 차출된 인부들이 바위를 벽돌처럼 곱게 다듬어서 3년 안에 허물어지면 벌 받을 것을 맹세하고 쌓은 성벽이지만 지금은 거의 다 허물어지고 몇 군데만 옛 모습으로 남아 있을 뿐이니 세월의 무상함을 느끼지 않을 수 없다.

남산 신성 안에는 신라 30대 문무왕 3년(663)에 지은 거대한 창고 터가 세 곳에 있다. 이 창고를 좌창(左倉), 중창(中倉), 우창(右倉)이라 부른다. 좌창과 우창은 무기 창고였고, 중창은 식량 창고였는데 지금도 숯으로 변한 쌀과 보리들이 발견된다. 좌우창지는 길이 약 50미터, 너비 약 15미터의 건물이었고 중창은 길이가 약 100미터, 너비는 약 50미터 되는 건물이었다.

세 창고는 모두 밑으로 바람이 통하는 다락식 건물이었는데, 화려한 꽃무늬 기와가 얹혀 있었다. 중창의 기단은 돌축대 사이에 띄엄띄엄 돌못을 박아 쌓은 튼튼한 축대였다. 이러한 방법은 감은사(感恩寺) 돌축대에도 이용되었고, 통일신라시대에 와서는 불국사 기단과 석굴암 천정에 이용되어 우리나라 석축(石築) 예술의 황금시대를 이루었다. 십이지신상(十二支神像)을 새긴 왕릉의 호석도 이러한 축석 방법을 이용한 것이다.

남산 신성 안에 있는 봉우리 해목령(蟹目嶺 ; 게눈바위)에 올라서면 경주 주위가 한눈에 내려다보인다. 해목령은 대궐인 반월성을 마주 보고 있다. 서쪽 국경에서 일어난 일은 봉화를 통해 선도산성 (仙桃山城)에 전해지고, 동쪽 국경에서 생긴 일도 봉화를 통하여 명활산성(明活山城)에 전해졌다. 선도산성과 명활산성에서 수집된 정보를 남산 신성에서 받아 반월성으로 전하므로, 임금은 앉아서 국경에서 생긴 일을 알 수 있게 되었던 것이다.

포석정(鮑石亭)

포석정은 신라 천년의 막을 내린 곳으로 많은 비난과 원망의 대상이 되고 있는 유적이다. 그러나 우리 조상들의 멋과 풍류가 깃들어 있는 소중한 유적이다.

포석정은 경주시에서 남으로 4킬로미터 되는 포석계곡 어귀에 있다. 이곳을 성남이궁(城南離宮)이라 했는데, 임금이 남산 신성을 지키는 장수와 재상들과 함께 머물던 휴게소였다고 생각된다. 신라 시대에는 많은 이궁(離宮)이 있었던 듯하나 지금까지 남아 있는 곳은 바로 이 포석정뿐이다.

돌 홈에 물을 흐르게 하고 잔을 띄워 유상곡수(流觴曲水)하던 곳으로 돌 홈 모양이 전복 껍질처럼 구불구불하다 하여 포석정으로 부른 것이라 한다. 이 포석정의 돌 홈을 보고 있으면, 떠가는 술잔이 구비구비 흐르다가 어느 곳에서는 느릿느릿하게, 또 어느 곳에서는 빠르게, 또는 빙글빙글 돌면서 흐르는 율동을 느낄 수 있다. 물도 잔도 춤을 추며 흐르는 것은 돌 홈의 경사와 구비치는 곡선으로 짐작할 수 있는데, 이는 우리 조상들이 유체역학(流體力學)의 원리를 응용해 만든 문화 유산임을 알 수 있다.

나라 돌보기에 지친 임금이 돌 홈에 술잔을 띄워 놓고, 신하들과 둘러앉아 노래와 춤으로 즐기던 곳이 바로 이 포석정이다. 일하고 쉬는 것은 하늘이 준 크나큰 은총이련마는 향락에만 젖어 있던 신라 55대 경애왕(景哀王)이 이곳에서 놀다가 불시에 쳐들어온 후백제 견훤에게 죽음을 당하고 천년 신라의 막을 내리게 되었으니 포석정은 줄곧 원한의 대상으로 미움을 받아 온 것이다.

계림에 누렇게 단풍이 들어
견훤이 신라를 망쳤단 말인가?
포석정이 도둑을 불러들이어,
망해 놓은 일을 군신인들 어찌하랴.

楓葉鷄林已改柯   甄萱不是滅新羅
鮑石自召宮兵伐   到此君神無計何

위의 글은 조선시대 학자 조식(曺植 ; 1501~1572)이 포석정을 두고 읊은 것이다. 이 시대 학자들의 글을 보면 포석정으로 인하여 신라가 망한 듯이 말하고 있는데, 죄가 있다면 향락에만 취해 있던 경애왕에게 있지 포석정이야 무슨 죄가 있겠는가. 수십만 년 여울물에 씻겨내린 돌처럼 부드럽게 다듬어진 조각 솜씨도 훌륭하지만 잔을 싣고 물이 흘러내리게 한 유체역학은 현대의 학자도 풀기 어려운 신비라 한다.
　　포석정 부근의 아름다움은 신라 시인 최광유(崔匡裕)의「포석정 주악사(鮑石亭 奏樂詞)」에 멋지게 표현되어 있다.

기원, 실제 두 절이 동서로 있는데
그 가운데 포석정이 있네.
소나무 잣나무 서로 얽혀 무성한데
풀넝쿨은 온통 골짜기를 덮었네.

머리 돌려 보는 곳마다
진달래 가득 피어 차고 넘네.
실안개는 구름인 양
자욱이 빗겨 있는데.

祇園實際兮　二寺東西
松柏相倚兮　蘿洞中
回首一望兮　塢花満
細霧輕雲兮　並朦朧

　포석정이 언제 만들어졌는지에 관한 명확한 기록은 없고 다만
「삼국유사」에 실려 있는 아래와 같은 내용으로 미루어 짐작해 볼
수는 있다.

　"49대 헌강왕(憲康王;876~886)이 포석정에서 신하들과 향연
을 베풀었는데 남산신 상심(祥審)이 임금 앞에서 춤을 추었다.
임금은 신하들에게 조용히 하라고 명령한 뒤, 남산신이 떠난 다음
에야 다시 놀아도 좋다고 하였다. 신하들은 '어이하여 저희들이
떠들지 못하게 했읍니까?' 하고 물었다. '남산신이 이곳에 와서
춤을 추고 가셨기 때문이다.' '남산신이 어떻게 춤을 추었읍니까?'
하고 신하들이 재차 물으니 임금은 몸소 일어나서 남산신이 춤추
던 흉내를 내었다. 그 후부터 이 춤이 유행하였는데 춤 이름을
상심무(祥審舞)라 했다."

　이 기록으로 미루어 포석정은 9세기 중엽에 이미 만들어져 있었
던 것임을 알 수 있다.

유물 유적의 산/부처의 정토

528년(일설에는 527년) 신라에서 불교가 공인된 이후부터 남산은 천상의 부처님이 하강하여 머무는 산으로 신앙되어 많은 절이 지어지고 부처가 새겨지고 탑이 서게 되었다. 지금까지 발견된 절터 수가 112곳이나 되며(이 중에는 절에 예속된 암자 터라고 짐작되는 곳도 있으나 지금 상황에서 정확하게 파악할 수 없어 모두 독립시켜 계산한 숫자다) 바위에 새겨진 마애불이나 입체로 된 불상을 모두 합하면 80체가 되고, 크고 작은 탑들은 61기나 된다. 남산은 바로 유물 유적의 산이라 할 수 있다.

양조암골

양조암골은 봉화대에서 시작하여 백운골 여울과 합쳐 별내로 흘러드는 골짜기인데 줄바위가 유명하다. 하얀 화강석 바위들이 서기도 하고(높이 7.8미터) 눕기도 하면서 이룬 하얀 화강석 더미를 마을 사람들은 줄바위(列岩)라 부른다. 이 줄바위 꼭대기에는 바위 면을 둥글게 파 놓은 알터가 수없이 많다. 밝음을 숭상하던 석기시대 어머니들이 하얀 바위에 신령이 깃들어 있을 것이라 믿고 이 줄바위에 올라와 알터를 파며 소원을 빌었을 것이다. 이들 어머니의 소원은 자손들에 대한 사랑이었으며 석기시대 어머니들의 지극한 정성을 이곳에서 본다.

줄바위 부근에는 세 곳의 절터가 있는데 첫째 터는 줄바위 밑에 있다. 하얀 바위산을 배경으로 허물어진 기단 돌축대가 있는데 불상 파편과 광배 파편들이 뒹굴고 있다. 특히 불상 대좌는 사각형으로 되어 있는데 중대석 4면에 갑옷을 입은 3위의 신장이 새겨져 있는 것이 특이하다. 줄바위 정상 부근에 둘째 절터가 있고 개울 건너 산허리에 세째 절터가 있는데 큰 돌로 쌓은 돌축대와 허물어진 탑재들이 남아 있다. 탑은 높이 7미터 가량 되는 3층 석탑이었으며 곳곳에 건물 터가 있어 예전에는 상당히 큰 절이었음을 말해 주고 있다.

새갓골 절터

양조암 남쪽 골짜기가 새갓골이다. 역시 봉화대에서 흐르는 물이 백운계곡과 합쳐 별내(星川)로 흘러드는 긴 계곡이다.

높은 바위를 배경으로 하여 돌축대를 쌓은 법당 터에는 불상이 대좌와 함께 넘어져 머리는 떨어져 버렸고 보상화를 새긴 화려한 광배(光背)는 여러 조각으로 흩어져 있어 보기에도 처참하다. 불상은 항마촉지인(降魔觸地印)을 결한 채 넘어졌고, 대좌도 허물어져 반은 땅에 묻혀 있다.

앙련(仰蓮)은 부드럽게 두 겹으로 새긴 백제식 둥근 꽃송이로 되어 있고, 복련(伏蓮)은 8각의 억세게 보이는 연꽃으로 되어 있다. 석조물에서 땅에 닿는 부분을 억세게 하는 것은 고목의 뿌리처럼 튼튼하게 보이도록 한 신라 예술의 특징이다. 이 불상은 높이 3미터 가량의 우수한 작품이다.

또 높이 7.8미터 되는 바위 위에 돌축대로 보충하여 하늘 누각을 지은 암자 터도 있다. 이곳엔 지금도 많은 기왓조각들이 흩어져 있어 옛 영화를 연상케 한다.

은적골 절터

은적골은 용장골의 지류인데 이 골짜기에는 네 곳의 절터가 있다. 단종(端宗) 때 생육신의 한 사람인 김시습(金時習)이 임금의 숙부인 세조의 불의를 분개하여 이 계곡에 숨어 지냈다 하여 은적골 (隱寂谷)이라 부른다고 전한다. 이 계곡에는 네 곳의 절터가 있는데 입구에서 두번째 터가 가장 큰 규모이다. 돌축대의 길이가 21.5미터, 높이가 4.5미터나 된다.

축대 앞에는 축대 면을 따라 1.5미터 넓이의 축대로 오르는 계단이 있다. 축대 면을 따라 계단을 쌓는 것은 남산 사지의 특색이다. 축대는 길이 1미터, 두께 45센티미터 되는 큰 돌들로 쌓아 성처럼 웅장한 느낌을 준다. 축대 위에는 주춧돌마저 없으므로 가람 배치는 알 수 없으나 배경으로는 험한 절벽 바위산이 있고 웅장한 삼각산 (三角山)을 마주 보고 있어 신선이 범을 타고 나타날 것만 같은 느낌이 든다.

옛날 동쪽 산정 부근에 있는 용장사(茸長寺)의 하늘 누각을 바라보는 풍경도 절경이었을 것이다. 어귀에는 고여 있는 소(沼)를 끼고 작은 암자가 있었으며 이 절터에서 500미터 가량 들어가면 계곡은 두 갈래로 갈라진다. 오른쪽 계곡 정상에 한 절터가 있고 왼쪽 산허리에 김시습이 살았다는 은적사 터가 있다. 은적사 터의 주위는 절경이 아니지만, 둘째 절의 금전벽루(金殿碧樓)를 내려다보는 전망은 장관이었을 것이다. 지금 유물로는 허물어진 3층 석탑이 있다.

국사골(國師谷) 첫 절터

국사골에는 세 곳의 절터가 있다. 북쪽에서 남쪽으로 1,2,3 사지라 이름을 붙였다.

첫 절터에는 큰 돌로 쌓은 돌축대가 여러 곳에 있고 이 위에는 많은 건축 터가 있다. 경사가 급한 산등성이에 계단식으로 터가 있어 밑에서 보았을 때는 여러 층의 누각으로 보였을 것이다. 이 터에는 곱게 다듬은 불상 대좌의 파편들이 흩어져 있고 주춧돌과 추녀를 장식했던 꽃무늬 막새기와들도 보인다. 불상 대좌는 지름이 120센티미터 되는 크기인데 면마다 안상(眼象)을 새기고 8각 대석 위에는 여덟 개의 복련(伏蓮) 꽃잎을 새긴 간결하고 부드러운 대좌이다. 이 위에 팔각 중대석을 놓고 중대석 위에 앙련(仰蓮) 꽃송이를 얹고 그 위에 부처님을 모셨던 것인데 지금은 하대석뿐이다. 그나마도 깨어져서 반 토막만 남았으니 아까운 일이다.

또 하나의 대좌는 북쪽 세째 건축 터 축대 위에 있는데 8각 대석과 연꽃을 각각 다른 돌로 만들었다. 크기는 먼저 것과 같은데 보상화가 새겨진 복련 꽃잎 16잎을 두 겹으로 새겨 화려하다. 아마 이 복련 대좌 위에는 구름을 새긴 중대석을 얹고 그 위에 지극히 아름다운 앙련 꽃송이가 얹혀 있었을 것이니, 이 대좌 위에 앉으신 부처님은 여래상이 아니고 화려한 옷차림의 보살님이었을 것이다.

불상들의 연대

장창골 삼존 석불

남산에서는 삼국시대부터 통일신라시대 말기까지의 불상들을 모두 볼 수 있다. 그 중에서도 이 불상은 본래 좌우에 두 보살이 협시(脇侍)하고 있던 삼국시대 삼존불의 주불이다.

우리나라에는 의자에 걸터앉은 불상도 드물지만 이 불상처럼 대하는 사람들의 마음을 티 없는 천진한 세계로 이끌어 주는 불상도 드물 것이다. 타원형으로 소박하게 핀 연꽃 위의 작은 의자에 걸터앉아 오른손은 엄지와 검지를 맞대어 손바닥을 앞으로 하여 들었고, 왼손은 가사 자락을 잡은 채 손바닥을 위로 향해 왼쪽 무릎 위에 놓고 있다. 얼굴은 정면으로 들어 밝은 표정이다.

깎은 머리에는 나지막하게 육계가 솟아 있고 이마와 두 눈두덩 사이 곡선으로 패어진 홈에는 단정하고 굵은 눈썹이 암시되어 있다. 부풀어 오른 풍성한 눈시울 아래로는 부드럽게 그늘을 지우면서 아래 세계를 내려다보는 고요한 눈을 형성하였다. 아기들처럼 둥근 얼굴이지만 코는 어른스럽게 긴 편이다. 짧은 인중, 작은 입, 작은 턱이 얼굴의 길이를 줄여서 둥글게 나타냈으므로 얼굴은 아기들처럼 천진스럽다. 입가에는 부드러운 웃음이 숨겨져 있으며 두 귀는 어깨 위에 드리워져 있고 머리 뒤에는 연꽃을 새긴 두광(頭光)이 소박하게 빛난다.

열린 가슴에는 卍(반대로 되었음)자가 새겨져 있는데 이것은 부처님의 길상만덕(吉祥萬德)을 나타낸 것이다. 또한 상의 다리는 짧아 보이는데 입체상이면서 허벅다리가 생략되어 있기 때문이다. 이 불상이 아기처럼 어리게 보이는 것은 오히려 그 때문이 아닐까? 다리를 덮고 흘러내린 옷주름은 더욱 재미있다. 왼손에 쥐어진 옷주름이 폭포가 쏟아지듯 흘러내리다가 다시 오른쪽으로 휘어져 오르면서 왼쪽 다리의 윤곽을 형성하였고 두 다리 사이에 가로 그어진 선들은 의자의 모양을 나타내었다. 오른쪽 무릎에는 와선(渦線)을 새겨 걸터앉은 자세의 무릎을 강조하였다.

아기 부처라 불리는 협시보살은 1925년 남산 장창골 마루에서 본존상이 옮겨질 때 남간(南間) 민가에서 본존과 함께 박물관으로 옮겨졌다 한다. 두 보살은 다 같이 머리와 키의 비례가 4등신(四等身)으로 되어 있다. 4등신은 갓난아기들이 지닌 신체의 비례다. 이마와 두 눈시울 사이를 깊이 파서 눈썹을 암시하고 있는 것이나 두 눈시울 아래 그림자를 드리워 눈을 나타낸 솜씨나, 갸름한 코며 작은 입술 등은 본존과 같은 솜씨인데 입술 양가에 패어진 홈은 더욱 깊어서 피어나는 미소가 화사하다.

머리에는 넓은 관대(冠帶)를 두르고 양옆과 앞에 꽃장식을 붙여 삼면두식(三面頭飾)으로 꾸며졌다. 우협시(右脇侍) 보살의 보관 앞면은 연꽃 위를 한 개의 보주로 장식하였고, 좌협시(左脇侍) 보살의 보관 앞면은 연꽃 위에 얹힌 삼과보주(三果寶珠)로 장식하였다. 우협시 보살은 오른손에 연꽃 봉오리를 들어 가슴에 올렸고, 왼손은 엄지와 검지를 맞댄 채 배 앞에 들고 있다. 좌협시 보살은 왼손에

경문을 들어 어깨 앞에 올리고 오른손은 엄지와 둘째 손가락을 대어 배 앞에 들고 있는데 약지와 새끼손가락을 무리하게 펴고 있는 것이 더욱 귀엽게 느껴진다.

우협시 보살은 둥근 꽃송이가 달린 세 겹으로 된 목걸이를 걸었고 좌협시 보살도 꽃송이가 달린 두 줄로 된 목걸이를 걸고 있다. 우협시의 목걸이는 목 앞에 짧게 걸렸는데 좌협시의 것은 가슴에 넓게 드리워져 있다. 어깨에 걸친 천의가 왼쪽 어깨에서 흘러내려 가슴을 가리면서 오른팔에 걸쳐 아래로 드리워졌고, 오른쪽 어깨에서 흘러내린 자락은 두 무릎 앞에서 반원을 그리며 왼팔에 걸쳐서 아래로 드리워졌다. 두 보살의 천의는 다 같은 모습이다. 본존은 양옆에 보살들이 있으므로 얼굴이 더욱 밝게 보이고, 좌우의 보살들은 본존 곁에 있음으로써 더욱 귀엽게 보이는 것이니 진정한 삼존불이란 이런 불상들이 아닐까?

왕정골 여래 입상

왕정골은 반월성 앞 골짜기로 대궐에서 사용하던 우물이 있어서 왕정골 (王井谷)이라 부른다. 한 군데의 절터가 있고 탑재들도 남아 있는데 이 절터에서 발견되었다는 등신대의 석불 입상이 유명하다.

이 불상은 지금 경주박물관에 옮겨 진열되어 있는데 높이 2.01 미터, 너비 1미터의 주형 광배(舟形光背) 앞에 서서 오른손은 엄지와 장지를 맞대고 손등을 밖으로 하여 가슴에 올리고 왼손은 배 앞에 들어 설법(說法印)하는 모습으로 서 있다. 갸름한 얼굴에 육계(肉髻)는 높이 솟아 있고 머리는 나발(螺髮)로 표현되었다. 초생달처럼 그린 두 눈썹과 양쪽 눈초리를 약간 치켜올린 시원스럽고 긴 눈은 아래 세계를 내려다보며 사색에 잠겨 있다. 기름한 코, 조용히 다문 입술, 부드럽게 언덕을 이룬 두 빰, 둥그스름하게 넓은 턱 등 조금도 과장된 곳이 없는 점잖은 얼굴이다.

두 귀는 부드럽게 곡선을 그리며 길게 드리워져 있고 목에는 가로세 줄의 주름(三道)이 잡혀 있다. 가사는 인도 굽타(Gupta)시대 여래상처럼 가슴을 드러내지 않은 통견(通肩) 차림이고 옷도 그 시대 여래상처럼 가늘게 주름 잡혀 잔잔한 파문을 일으키며 흘러내렸다. 아깝게도 무릎 아래가 파손되어, 고운 리듬을 그리며 발등을 덮고 양가로 흘러내렸을 옷자락의 아름다움을 볼 수 없게 되었다.

이 불상에서 인상적인 것은 가는 허리에서 윤곽을 크게 그리며 곡선으로 부푼 엉덩이 선이라 하겠다. 이 부푼 선을 나타내기 위해서 두 팔 소매에서 흘러내린 옷자락을 허리 뒤로 감추어 놓은 것이다. 아름다움을 생명으로 아는 신라 예술인들은 사실적인 현상을 버리고 내면에 숨어 있는 아름다움을 과감하게 나타내는 감각을 지니고 있었던 것이다.

이 불상의 광배는 간결하면서도 아름답다. 두 가지의 넝쿨로 신광과 두광을 나타내었는데 두광은 보주형(寶珠形)이고 신광은 몸체모양을 반복한 형태이다. 보주형 두광은 위가 뾰족하여 근엄한 부처의 얼굴을 더욱 엄숙하게 느끼도록 하였다. 신광의 어깨 선은 이 불상의 아름다움에 묘한 효과를 더해 주고 있다. 불상의 두 어깨는 부드러운 경사로 흘러내려 여성적인 데 비해 신광의 어깨는 추켜올려 남성적인 위엄을 보이고 있다.

자비로우면서도 엄격한 위엄을 지닌 것이 부처님 심성(心性)이다. 이 불상에서는 그러한 두 가지 성격을 한꺼번에 느끼게 하였으니 신비롭다. 어느 나라의 불상이든 광배의 가장자리에는 불길(火焰)을 새겨 부처님의 빛과 위력을 나타낸다. 그러나 이 불상에서는 그 불길을 나뭇잎으로 바꾸어 놓았다. 살벌한 것을 싫어하고 평화를 사랑하는 우리 겨레의 마음씨인 것이다. 옷주름들이 아래로 접힌 것은 실상과는 반대의 표현이다. 그러나 태양 광선이 비쳤을 때 생기는 그림자 때문에 옷주름의 선들이 선명하게 보이도록 한 것도 신라 예술에 드러난 선조들 슬기의 한 면모라 할 수 있다. 늘씬한 체구, 점잖은 얼굴, 기름한 손가락, 섬세한 옷주름, 생기 있게 피어나는 배광, 꽃넝쿨을 화강석에 새긴 능숙한 솜씨 등 이 불상은 우리나라 예술의 황금시대이던 8세기 전기 걸작품의 하나이다.

삿갓골 여래 입상

8세기 전반은 우리 조각 예술의 황금시대이다. 이 때에 만들어진 또 하나의 걸작품이 있다. 복련(伏蓮)으로 핀 연화대 위에 오른손을 가슴에 올려 설법인(說法印)을 하고 있는 상이다. 이 불상은 살결이 풍만하고 부드러우면서도 생기를 잃지 않은 통일신라 중엽 불상의 특징을 잘 나타내고 있다. 머리카락은 나발이며 육계는 우뚝하여 근엄해 보이고, 두 귀는 곡선을 그리며 어깨에까지 닿아 있는데 귓볼이 풍성하여 따스한 느낌이 감돈다.

목에는 부드럽게 주름이 새겨져 있고 통견으로 입은 가사 자락이 덮여 있는 두 어깨는 둥그스름하다. 여성의 가슴을 연상하리 만큼 양감(量感)을 느끼게 하는 가슴, 그 아래에 가는 허리가 맵시 있게 표현되었다. 지금 이 불상은 허리 아래가 없어졌지만 동쪽으로 조금 떨어진 곳에 엉덩이 부분이 토막으로 남아 있다. 가는 허리에서 덩실하게 언덕을 그리면서 아래로 길게 흘러내렸을 아름다운 육체미를 이 작은 토막의 곡선을 통해 충분히 상상할 수 있다. 이 불상에서는 큰 위엄은 느낄 수 없을지라도 전신에서 피어나는 따스한 자비는 누구나 느낄 수 있다.

두광과 신광으로 구성된 배광은 황홀하게 아름답다. 머리 뒤에는 둥글게 보상화(寶相花)를 나타내었고 양 가장자리에는 연꽃에 앉아 두 손을 합장하고 구름을 타고 내려오는 화불(化佛)이 자그마하게 새겨져 있다. 이러한 화불은 두광 윗부분에도 있었을 것인데 지금은 깨어져서 볼 수 없다. 신광의 두 어깨 옆에도 같은 모습으로 화불이 배치되었고 그 아래로 당초가 구름같이 피어 오르고 있는 모습이 나타나 있다.

배광, 두광의 가장자리에도 생기 있게 피어나는 당초무늬를 새겨 놓았다. 살벌한 불길 대신 꽃넝쿨로 광배를 장식한 것은 왕정골 여래상과 같은 형식이고 화불들이 구름을 타고 내려오는 모양은 장항리(獐項里) 여래 입상의 것과 같다. 이 불상 앞에 연화 대좌가 파괴된 채로 놓여 있는데 복련이 표현되어 있고 불상의 발을 끼웠던 직사각형의 구멍이 패어 있다.

보리사 석조 여래 좌상

보리사 석조 여래 좌상은 신라 말기의 작품에 속하는 가장 우수한 불상이다. 고목의 뿌리처럼 억세게 놓인 8각 복련 위에 8각 기둥(中臺石)이 솟아 있고 그 위에 맑고 부드러운 앙련이 피어 있으니 이 연꽃 위는 부처님의 나라인 정토가 된다. 하얀 화강석으로 조성된 이 여래상은 크고 둥근 연꽃 위에 결가부좌하고 촉지항마인의 수인을 한 채 긴 눈을 가늘게 뜨고 사바세계를 굽어 살피신다. 포물선으로 약간 치켜올라간 눈썹 사이에는 광명을 무량세계에 비치는 백호(白毫)가 새겨져 있다. 삼각을 이룬 사내다운 코, 그 밑에 조용히 다문 입술에는 자비가 어려 있다.

한없는 자비가 풍만한 두 뺨에 어리어 보는 사람으로 하여금 저절

로 두 손이 모아질 만큼 감동을 주는 거룩한 상이다. 나발로 표현된
육계(肉髻)는 높게 솟아 위엄이 있고, 귀는 길게 어깨까지 드리워졌
는데 목에는 세 줄의 주름이 새겨져 부드럽게 몸체와 연결되었다.
신광과 두광으로 된 배광은 화려 찬란하다. 부처님의 몸과 머리에서
나오는 신비로운 빛이 온누리에 퍼져 나간다고 하는데 배광은 그
빛을 나타낸 것이다.

　마디마다 활짝 핀 연꽃을 새긴 띠를 둥글게 둘러 두광과 신광을
나타내고, 마디마디에 연꽃을 새긴 것은 부처님의 빛이 비치는 곳은
어디나 연꽃처럼 깨끗한 세계가 된다는 뜻이다. 또 두광과 신광에
새긴 7좌(座)의 작은 화불은 부처님의 빛이 비치는 곳마다 그곳에
부처가 계시다는 뜻이다.

　화불들은 모두 부처바위의 상들처럼 손을 옷자락 속에 감추고
있다. 또한 배광 가장자리에 돌아가며 불길을 새긴 것은 부처님의
위력을 나타낸 것이다. 다만 이렇게 거룩한 상이 얼굴에 비해 몸이
약간 약하게 보이는 것이 못내 아쉽다. 더욱 사실적으로 섬세하게
표현된 옷주름들이 그 약점을 더해 주는 것 같다. 화려한 것은 언제
나 약하게 보이기 마련이기 때문이다. 그러나 힘차게 조각된 8각
복련대가 고목의 뿌리처럼 굳세게 땅 위에 버티고 있기 때문에 약함
도 화려함도 불안스럽게 느껴지지 않는다. 신라 예술은 어디에나
묘한 슬기가 감추어져 있는 것 같다.

법당골 약사여래 좌상

　법당골은 용장계의 첫 지류인데 1929년 이 계곡에서 머리가 없어
진 약사여래의 좌불이 발견되어 경주박물관(舊館)으로 옮겨져 종각
옆에 안치되었다. 화려하게 꾸민 대좌와 섬세하게 새긴 배광으로

보아 신라 말기의 걸작임을 짐작할 수 있으나 머리와 배광 일부가 떨어져 없어진 것이 너무나 안타깝다. 그 후 38년이 지난 1967년 이 불상의 머리가 누군가의 손을 거쳐 박물관의 모과나무 밑으로 옮겨져 모과나무 밑 몸체와 마주 보이는 곳에 자리잡게 되었다. 그리던 몸체가 바로 앞에 있건만 붙여 주는 이 없으니 부처의 머리는 얼마나 애가 탔을까?

1975년 반월성 남쪽에 거대한 새 박물관이 세워져 낙성이 가까웠을 때, 새로 부임한 정양모(鄭良謨) 관장이 유물들을 옮길 준비로 정원에 진열되어 있는 불상들을 점검하다가 종각 옆에 있는 약사여래의 깨어진 목 부분과 모과나무 밑에 놓여 있는 부처 머리의 깨어진 부분이 서로 반대로 되어 있는 것을 발견하였다. 박물관 직원들이 힘을 모아 부처 머리를 들어 약사여래의 목 위에 얹었더니 깨어진 부분이 꼭 맞아 들었다. 환성을 올렸다. 그 뒤 곧 법당골에서 떨어져 없어진 배광 한 부분이 또 발견되었다.

이렇게 7년이나 몸체를 바라보며 애태우던 몸과 머리는 한몸이 되어 새로 얻은 배광을 통해 밝은 빛을 비추게 되었으니 기쁜 인연이 아닐 수 없다. 박물관에서는 죽었던 불상의 새로운 탄생을 축하하여 그날 2시에 성대한 불공을 올렸다.

이 불상 대좌는 8각 복련대석 위에 8각 중대석을 놓고 그 위에 두 겹으로 핀 둥근 앙련대석을 얹어 놓은 것이다. 8각 복련대석에는 한 잎마다 국화 꽃잎 모양의 돋을새김 2개로 장식한 큰 연꽃잎 18장을 새겼는데 굳세고 힘차게 보인다.

중대석에는 모마다 기둥을 새겨 안정감을 나타내었고 앙련화는 보상화로 장식된 연꽃잎을 32잎씩 두 겹으로 피워 놓은 화려한 대석이다. 이렇게 화려한 대좌 위에 부처님은 결가부좌하여 아래 세계를 굽어보는 듯하며 왼손에는 약발(藥鉢)을 들어 무릎 위에 얹어 병마를 몰아 내는 약사여래임을 나타내고 있다.

오른손은 오른쪽 무릎 위에서 항마인상(降魔印相)을 표시하였다. 아마 병마의 항복을 받는다는 뜻이리라. 이 석불 좌상에서 무엇보다 화려한 것은 배광이다. 신광과 두광을 연결한 주형 광배(舟形光背)인데 마디마다 연꽃으로 장식한 두 줄기의 넝쿨을 둥글게 다발지어 두광을 만들고 같은 방법으로 몸체 뒤에 타원형을 그려 신광을 만들었다.

두광의 중앙 아랫부분에 백호를 중심으로 하여 활짝 핀 연꽃을 새겨 부처의 맑은 빛을 나타내었고 그 밖의 부분은 빈틈없이 화려한 당초를 새겨 장식하였는데 배광의 가장자리 것은 얼른 보기에 불길(火焰)처럼 보이나 보고 있는 동안 모두 당초로 변하여 화려한 꽃밭을 이루게 된다. 그러나 이 불상은 너무 화려해서 사치스러움마저 느끼게 하니 힘과 생기가 없어져 가는 세기말적인 느낌을 받음은 어쩔 수 없는 사실이다.

크고 작은 불상들

약수골

마애대불

눈병에 특효가 있다는 약수는 골짜기 막바지에 있는데, 이곳은 산세가 가파르고 큰 기둥 바위들이 서로 높이를 다투듯 솟아 있어 마치 바위 궁성처럼 느껴지는 곳이다. 그 중 제일 큰 바위 남쪽 면에 여래 입상이 새겨져 있다. 두 손의 엄지와 장지를 마주 대어 왼손은 가슴에 올리고, 오른손은 배 앞에 들어 설법하고 계신 모습이다.

마애대불은 왼쪽 어깨에서 가슴으로 비스듬히 비껴 내린 가사의 옷주름이 점점 크고 넓게 물결치며 흘러내려와 강하게 휘어진 상현달 모양으로 끝을 맺었다. 그 아래로 가늘게 수직선을 그으며 군(裙) 자락이 흘러내려 발등을 덮었다. 양쪽 팔에 걸쳐 수직으로 드리워진 옷자락의 주름들은 어깨에서 무릎까지 힘차게 그어져서 직선과 곡선의 절묘한 대조를 이루고 있다.

높이 8.6미터, 나비 4미터 되는 거대한 불상의 몸체는 바위 면을 이용했는데 윤곽 밖의 공간을 약 30센티미터 깊이로 깎아 부처님의 몸체를 돋보이게 한 착상도 훌륭하지만 3센티미터 내외의 깊이로 손의 윤곽과 옷주름을 예리하게 파 내어, 태양 광선이 비칠 때 생기는 그림자로 옷주름이 더욱 선명하게 보이도록 한 것도 재치 있는 수법이라 하겠다.

이 불상 머리는 금강산 사면석불(四面石佛)의 아미타여래상이나 안동 제비원 불상처럼 다른 돌로 조성하여 몸체 위에 얹었던 것인데, 지금은 없어지고 바위 밑에 삼도(三道)가 새겨진 목 부분만 구르고 있다. 바위 위에 머리가 놓여 있던 자리가 69.7×57.6센티미터의 넓이로 패어 있고, 머리와 몸체는 지름 9센티미터 되는 철봉으로 연결되었던 것으로 지금도 그 홈이 남아 있다. 머리의 크기를 1.8미터쯤으로 계산하면 이 불상은 10.4미터나 되는 거대한 불상이다. 늠름한 키와 늘씬한 손가락에 어울리는 얼굴이라면 얼마나 시원스런 모습일까? 최근에는 따로 만들어 붙였던 오른쪽 발이 발견되었는데 크기는 길이 61센티미터, 나비 73센티미터로 확인되었다.

석가여래 좌상

여울가에 나지막한 언덕이 있다. 언덕에 약간의 축대를 쌓아 단을 모으고 화려한 방형(方形) 대좌 위에 석가여래상이 안치되어 있었다. 대좌의 하대석(下臺石)은 24잎의 복련으로 되었고 상대석(上臺石)은 앙련으로 되었는데 앙련 꽃잎이 특이하다. 그 형태는 두 개의 고사리 모양을 마주 하여 꽃잎 윤곽을 만들고, 그 안에 해무리 무늬로 장식한 화려하기 그지없는 것이다.

하대석 꽃잎은 돋을새김을 해서 입체감이 강한 데 비해 상대석 꽃무늬는 드물게 보는 화려한 장식이다. 네모난 중대석엔 면마다 안상을 새기고 그 안에 신장을 배치하였으니 부처의 세계를 지킨다는 수미산을 표현한 것이다.

대좌 위의 석가여래상은 결가부좌이며 촉지항마인을 표시하고 있다. 가사는 편단우견(偏袒右肩)으로 입었는데 얇은 옷주름이 풍만한 몸체를 감고 조용히 흐른다. 살결이 풍만하고 한없이 부드러운 이 불상은 9세기초를 전후한 시대의 걸작품이다. 이 부근 어딘가에 묻혀 있을 머리를 찾아 완전한 모습의 불상을 언덕 위에 모셔 놓으면 얼마나 품위 있고 아름다울까?

철와골

약수골 마애대불에 못지않게 큰 불상의 머리(높이 1.53미터)가 1959년 사라호 태풍 때 철와골에서 발견되었다. 삭발한 머리에 일직선으로 그어진 이마와 머리의 경계선에서 일체의 세부를 생략한 대담한 작가의 성격을 볼 수 있다. 초생달 모양으로 깊이 패인 눈에 그늘이 지면서 눈썹은 더욱 선명하다. 두 눈썹과 연결되어 그어진 세모진 코(지금은 파괴되었음)가 얼굴 중심에 우뚝 솟아 있고 그 아래로 큰 입술이 힘차게 새겨져 있는데, 입술 양가에 패인 홈은 턱으로 연결되어 군턱을 이루고 인중도 확실하여 입 언저리의 팽팽한 긴장감을 표현해 준다.

이 철와골의 불상 머리가 다른 신라 불상들과 다른 특징을 보이는 곳은 눈이다. 시원스레 넓은 눈두덩이와 눈 윗시울은 하현달 모양으로 곡선을 그었고, 아랫시울은 직선으로 눈초리를 귀 언저리까지 길게 그었다. 아랫시울 밑에 또 한 선이 패어 있으니 눈과 뺨의 경계선이다. 이렇게 눈을 형성한 여러 선들이 눈초리에 모여 부드러운 미소를 마련하였다. 두 눈썹 사이에 둥근 백호가 해처럼 떠 있어 눈 언저리는 더욱 화사하다.

통일신라 불상들은 대개 입가에 웃음이 감돌고 눈에는 웃음이 없다. 윗시울이 직선으로 그어지고 아랫시울이 곡선으로 그어지기 때문이다. 이 불상은 반대로 눈에 웃음이 있고 입가에는 웃음이 없다. 통일신라 중엽 전성기 이전 불상들에 나타나는 표정이다. 둥근 백호의 모습은 오히려 고려시대 안동 제비원 불상에 가까운 느낌이 드니 시대를 가려 보기 힘든 얼굴이라 하겠다.

절골 절터

이 터에는 허물어진 축대가 여러 곳에 조금씩 남아 있지만 부처님을 모셨던 법당 터의 축대가 가장 규모가 크다. 축대 높이는 3미터이고 길이는 10미터 가량 되는데 크고 작은 돌들을 모아 정교하게 쌓은 것이다. 축대 밑으로 여울물이 폭포가 되어 흘러내리는 운치 있는 법당 터로, 터의 중앙에 약사여래 좌상이 있고 앞에는 작은 탑 부재들도 남아 있다.

방형 대좌에 앉은 불상이 또 하나 있으니 용장계 절골 약사여래 좌상이다. 법당 중앙에 남향으로 앉은 이 불상은 흘러내린 모래와 자갈에 묻혀 있었는데 1940년에 파 내어 조사한 것이다. 대좌는 지금도 땅에 묻혀 있는데 옛날 보고서에 의하면, 하대석은 정면 길이가 176센티미터로 둘레에 힘찬 복련 꽃잎이 새겨져 있었다. 상대석은 길이가 137센티미터나 되는데 하대석과 같은 방법으로 앙련 꽃잎이 새겨져 있었다 한다. 중대석은 정면 길이 79센티미터, 측면 나비 66센티미터, 높이 42센티미터 되는 모난 기둥돌인데 모서리마다 나비 8.2센티미터 되는 기둥이 새겨져 있고 기둥 안의 면마다 사천왕상이 배치되어 있었다 한다.

불상은 결가부좌하였고 왼손에 약그릇을 들고 오른손은 항마인을 표시한 전형적인 약사여래 모습이다. 가사는 통견으로 입었는데 옷주름은 얇다. 불상 어깨에서 무릎 밑까지 121센티미터이고 양 무릎 나비가 150센티미터이며 전체적으로 허리는 가늘고 몸체는 높아 시원스럽게 보이는 상이다.

보리사 마애불

절벽이나 바위에 돋을새김(浮彫)이나 음각선으로 부처님의 모습을 나타낸 것을 마애불이라 한다.

보리사 앞에서 산비탈 오솔길을 따라 약 35미터쯤 가면 높이 2미터, 밑 나비 2.3미터 되는 바위가 동으로 향해 솟아 있는데 그 암벽면에 여래 좌상이 새겨져 있다. 넓은 연꽃 위에 단정하게 앉아 얼굴에 미소를 머금은 여래상이다.

앉은 자세며 옷 모양이 모두 탑골 부처바위 불상들을 닮았다. 그러나 부처바위 불상들이 모두 얇은 조각으로 나타난 데 비해 이 불상은 높은 돋을새김으로 살결이 풍만하여 다르게 느껴진다. 또 두 어깨가 넓고 몸체가 사각에 가까운 형태로 표현된 점은 오히려 부처골 감실(龕室) 불상에 가까운 느낌이 든다. 또 선정인(禪定印)을 하고 앉은 손을 덮고 흘러내린 옷주름의 양쪽이 대칭을 이루는 균제미(均齊美)를 보여 주고 있어 한결 엄격하게 보인다.

부처바위 불상들을 백제식이라 한다면 이 불상은 신라식에 가깝다. 하지만 이 마애 불상은 부처바위 불상을 견본으로 하여 후세에 만들어진 것이라 믿어진다. 또한 이 불상 부근은 매우 가파른 곳이어서 건축물을 세울 수가 없을 뿐만 아니라 발 아래는 급경사를 이루고 있어 하늘에 떠 있는 느낌이 든다.

현재 이 불상의 바로 밑에는 임업시험장이 있고 유유히 흐르는 남천 건너 배반들이 보인다. 도리천(忉利天)이라 불리는 낭산(狼山)이며, 사천왕사며 명활산 등이 멀리 한 시야에 들어오는 것도 이 지역의 특징이다. 이 벌판이 신라 때에는 17만 8936호가 즐비했던 서울 장안이다. 산허리에 앉아 서울 장안을 굽어살피던 이 불상은 비록 작은 불상이지만 수많은 신라인의 존경과 예배를 한몸에 받았으리라.

유느리골

작은 불상으로는 유느리골 불상이 있다. 높이 3미터, 나비 6미터 가량 되는 바위 면이 ㄱ자형으로 절벽을 이루었는데, 넓은 면이 2.5미터로 남향하였고, 좁은 면은 90센티미터로 서향하였다. 넓은 면에는 여래 좌상이 새겨져 있다.

여래 좌상

서향으로 면한 바위에 얇은 돋을새김으로 새긴 여래상은 연꽃 위에 결가부좌하여 왼손은 보주를 들어 가슴 앞에 올리고, 오른손은 손바닥을 배에 대고 있다. 기름한 얼굴에 육계도 크고 깊게 패인 눈썹 아래에는 두 눈두덩이 둥그스름하게 나타나 있다. 코도 길고 입도 크며 귀는 두툼하고 목에는 하나의 주름이 있다. 두껍게 보이는 가사는 통견으로 입었는데 가슴이 넓게 드러나 있다. 머리와 몸체 뒤에는 굵은 선으로 두광과 신광을 나타냈는데, 각각 2체씩 화불이 있으며 모든 솜씨가 고졸스럽게 보인다.

석가여래상

남으로 향한 바위 면에는 왼쪽에 석가여래 좌상이 새겨져 있고, 오른쪽에는 약사여래가 새겨져 있다. 석가여래는 꽃잎마다 보상화로 장식된 두 겹의 연꽃 위에 결가부좌하여 오른손은 위로 들고 왼손을 아래로 들어 설법하는 모습이다. 얼굴은 좁고 길며 육계는 높이 솟았고, 두툼한 귀가 어깨까지 드리워져 있다. 얼굴과 신광이나 두광은 모두 서향한 부처와 같은데 오직 통견으로 입은 가사의 주름에는 생기가 있어 먼저 것과 조금 다른 느낌을 준다. 가사 깃 사이로 드러난 넓은 가슴엔 군(裙)을 동여맨 끈이 보인다. 편안한 자세로 앉아 설법하는 여래상의 기품을 당당하게 나타냈으나 역시 솜씨는 고졸한 느낌을 면할 수 없는 작품이다.

약사여래상

앙련 대좌 위에 결가부좌하여 왼손은 약그릇을 들어 무릎 위에 놓고, 오른손은 엄지와 둘째 손가락을 맞대어 무릎 위에 얹어 놓은 부드러운 모습이다. 육계는 나지막하고 얼굴은 둥글며 눈은 가느스름하고 두 뺨은 살결이 풍성하여 미소를 머금은 아주 다정한 모습이다. 가사는 편단우견으로 입었는데 그 자락이 무릎을 덮고 있다.

배광은 주형(舟形)으로 감실처럼 파고, 두 겹의 둥근 선으로 두광과 신광을 나타내었다. 앞의 두 불상은 표현 수법이 딱딱하나 이 불상은 살결이 풍성하고 옷주름이 부드러우며 생기가 있을 뿐 아니라, 표정이 상냥하여 훌륭한 조각 솜씨를 보이고 있다. 불상 높이 64센티미터, 무릎 너비 60센티미터이다. 이 부근에 많은 기왓조각들이 흩어져 있는 것으로 미루어 법당이 있었던 것으로 보인다. 법당에 아미타여래를 본존으로 모셨다면 이 유느리골 불상들은 사방불이 된다.

석가여래 옆에 '태화 을묘 9년(太和乙卯九年)'이라 새긴 명문이 있다. 태화 9년은 신라 흥덕왕 9년(興德王, 835)이 된다.

남산에는 10여 미터 되는 대불이 있는가 하면 등신대 불상도 있고 1미터도 못 되는 작은 불상도 있는데 지금까지 모두 80체의 석불이 발견되었다.

바위 속에 숨어 계신 부처님

신라 32대 효소왕(孝昭王)은 재위 6년(697), 서울 동쪽 교외에 망덕사(望德寺)라는 절을 세우고 낙성식 때에 친히 공양했다. 그 때 옷차림이 누추한 거지 중이 와서 임금께 청했다.

"빈도(貧道)도 재(齋)에 참석하기를 원합니다."

임금은 마음이 언짢았지만 말석에 참석하라고 허락했다. 재를 마치자 임금은 거지 중의 참석을 불쾌히 여겨 그를 불러 말했다.

"비구는 어디에 사는가?"

"예, 남산 비파암(琵琶岩)에 살고 있읍니다."

임금은 비웃으며

"돌아가거던 국왕이 올리는 재에 참석했단 말은 하지 마라."

중도 웃으며 대답했다.

"예, 잘 알았읍니다. 폐하께서도 돌아가시거던 진신석가(眞身釋迦)를 공양했다는 말씀은 하지 마십시오."

하고 말을 마치고 무릎을 치니 거지 중의 몸에서는 금빛이 나며, 머리 뒤에 광채가 어려 빛났다. 그리고 땅에서 솟아오르는 구름을 타고 하늘을 날아 비파암으로 가버렸다. 임금은 당황하여 수없이 절하고 신하들을 시켜 진신석가 부처님을 모셔 오도록 하였다.

신하들이 비파암에 갔을 때에는 이미 진신석가 부처님은 비파암 부근에 있는 바위 앞에다 지팡이와 바리때를 놓아 두고 바위 속으로 숨어 버렸다. 이 소식을 들은 효소왕은 진신석가 부처님께 사죄하는 뜻으로 비파암 앞에 석가사를 짓고, 부처님이 숨어 버린 바위 속에는 불무사(佛無寺)를 지어 지팡이와 바리때를 나누어 보관하였다.

이 이야기는 「삼국유사」 권5, 감통 제17 진신수공(感通第十七眞身受拱)조에 실려 있는 이야기다. 이 이야기 속에는 한 가지 의문이 숨어 있다. 진신석가 부처님이 어이하여 바위 속에 숨어 버렸는가 하는 것이다.

우리 조상들은 불교 전래 이전부터 자연을 숭상하여 왔다. 산과 물을 위하고 숲과 나무를 믿었다. 그리고 굳센 바위를 더욱 믿고 살아왔다. 바위에 빌면 병든 사람도 낫고, 애기 없는 사람에게는 애기도 점지해 주고, 사랑에 병든 사람에게는 사랑도 맺어 주는 것이라고 굳게 믿어 왔던 것이다.

불교 공인 후 부처님의 영검이 계시다는 신앙과 바위 속에 억센 위력이 있다는 믿음이 한데 합쳐 바위 속에 부처님이 계시다는 우리나라의 독특한 신앙 형태가 되어 온 것이다. 그 때문에 토속 신앙의 이해 없이는 우리나라의 불교 예술은 이해하기 어렵다. 남산에 있는 51체나 되는 마애불들은 이러한 신앙으로 조성된 불상들이다.

대적천과 삼성곡

비파암은 비파골의 근원이 되는 막바지에 있다. 「삼국유사」에서는 '대적천(大磧川) 원(源) 삼성곡 (三星谷)'이라 했는데 옛날에는 이 계곡의 여울을 대적천이라 불렀던 모양이다. 산 능선에는 마을 사람들이 삼형제바위라 부르면서 신앙하는 세 개의 바위가 있다. 그래서 삼성곡으로 불리웠던 것으로 믿어진다. 이 부근의 산세는 사방이 산맥으로 둘러싸여 있어 속세와는 차단된 별유천지인 양 신령스러운 경관을 이루고 있다.

하얀 화강석 바위들이 누각처럼 층층이 솟아 있는 남쪽에 높이가 7미터쯤 되어 보이는 비파처럼 생긴 바위가 서 있다. 모양도 목이 굽은 당비파(唐琵琶) 형상이다. 신라 때에는 악기가 곧 신의 마음을 움직이는 신성한 기구라 하여 소중히 여겼다. 이 부근에는 신라 말기 것으로 보이는 2기분의 석탑재들이 흩어져 있어 옛날에는 매우 신령스러운 곳으로 신앙되었으리라고 짐작된다.

남산에는 또 하나의 비파암이 있다.「동경잡기」에

> "금오산에 어떤 돌 하나가 있는데 바위 위에 가로놓인 비파 모양
> 으로 생겼다(金鰲山有石橫在岩頭如琵琶將)."

라는 글이 있다.

모든 사람들은 이 돌이 비파골에 있다고 생각해 왔다. 그러나 이 비파암은 용장골 범굴바위(茸長谷虎穴岩) 부근에 있는 바위이다. 바위 위에 비파를 뉘어 놓은 것처럼 보이는 비파암인 것이다. 이곳도 절터이고 부근에 오층 석탑재들이 흩어져 있다.

신앙받던 바위들

천룡암

고위산은 수리산이라고도 부른다. '수리'는 가장 높은 곳이라는 뜻이다. 수리산 정상에서 뻗어 내린 큰 바위 등성이는 꿈틀거리며 하늘에서 내려오는 용처럼 생겼고, 그 머리는 땅에 내려와서 하늘을 향해 치켜 들었는데 사람들은 이 바위를 용두암(龍頭岩)이라 한다.

용두암 밑에 우물이 있는데 물맛이 좋기로 이름이 높다. 이것은 용의 위력을 숭앙해 온 우리 민족 신앙이었다. 용처럼 생겼다는 이유로 이 바위는 오랜 세월을 두고 많은 사람들로부터 신앙을 받아 온 것이다.

용두암은 또한 배 모양과 같이 생겼다 하여 운도암(雲棹岩)이라고도 불리웠다. 구름 위로 돛을 달고 가는 배라는 뜻이다. 이 바위 밑에 천룡사(天龍寺)가 있었다. 지금 이 터에는 탑재며 비석을 세웠던 귀부(龜趺), 맷돌, 돌 물통 등이 남아 있다. 이 절터에는 신라 때 고사(高寺;수리사)라는 절이 있었다 한다. "이 절이 망하면 신라도 망하리라" 하고 신라에 왔던 당나라 사신 악붕귀(樂朋龜)가 말했다고 하는데, 과연 이 절은 신라 말기에 없어지고 고려 초기에 재상 최제안(崔濟顔)이 이 터에 천룡사를 지었다. 지금 남아 있는 유적과 유물들은 그 때의 것이다.

해발 400미터나 되는 높은 곳에 평지가 있어 고원을 이루는 곳에 터가 형성되어 있다. 산 아래에서 보면 하늘나라의 터와 같고, 이 터에서 내려다보면 아래 세계(下界)가 보이고 자신은 하늘의 정토 세계에 서 있는 듯이 느껴지는 신비한 터다.

남산 부석(南山 浮石)

남산 부석은 남산 동면 국사골에 있다. 큰 바위 위에 부처님 머리처럼 생긴 바위가 얹혀 있어 마치 커다란 좌불(坐佛)처럼 보이는 바위다. 부처님 머리가 허공에 떠 있는 것처럼 보인다 하여 부석이라 부르고 있다. 어떤 이는 버선을 거꾸로 세워 놓은 모양 같다 하여 버선바위라고 부르기도 한다. 이 바위는 경주 팔괴의 하나로 꼽히는데 생김새가 괴상하여 지금도 많은 사람들이 신앙하고 있다.

이 부근에는 기기묘묘한 바위들이 그야말로 천태만상으로 솟아 대장관을 이루고 있다. 이들 중에는 남산 부석을 비롯하여 불상처럼 생긴 바위들이 많이 솟아 있어서 밑에서 바라보면 하늘 위 불보살들의 궁전같이 보이고 올라가서 내려다보면 불국정토에 앉아 하계를 내려다보는 듯한 장엄한 바위산이다.

큰 지바위

지바위골은 국사골 남쪽 골짜기이다. 이 골짜기에는 작은 지바위, 중간 지바위, 큰 지바위가 있는데 기도하는 사람들이 가장 많이 모이는 곳은 큰 지바위이다. 나비 140미터, 높이 50미터 가량 되는 큰 바위가 벼랑에서 불쑥 머리를 내밀듯한 크고 험상궂은 모습에서 두려움을 느끼어 땅의 신으로 믿고 큰 지바위를 섬기게 된 것이 아닐까 생각한다. 이 바위 밑에도 절터가 있다. 신라시대 절터는 거의가 양지바르고 명랑한 느낌을 주는 데 비해 이 바위 밑에 있는 절터 그리고 중간 지바위, 작은 지바위 아래에 있는 절터들은 모두 어둡고 음산한 곳이다. 이들 바위에는 사시사철 기도하는 사람들이 끊이지 않는다.

상사바위

남산리 마을에서 바라보면 국사골 산정에 나란히 서 있는 두 개의 큰 바위가 있다. "저 바위가 무슨 바위냐?" 하고 물으면 어린 아이들까지도 상사바위라고 대답한다.

옛날 이 마을에 사는 한 할아버지가 나이 어린 처녀를 사랑했다. 할아버지는 나이 차 때문에 혼자 고민하다가 이 골짜기의 나무에 목을 매어 죽었다. 죽은 할아버지는 큰 바위가 되어 산정에 우뚝 솟았다. 그런 뒤 어린 처녀는 눈만 감으면 큰 뱀이 나타나 처녀의 몸을 감고 괴롭혔다. 할아버지의 혼령이 상사뱀으로 나타나서 처녀를 괴롭히는 것이라고 마을 사람들은 수군거렸다. 처녀는 잠을 자지 못해 날로 여위어 갔다. 그러던 어느 날 처녀는 할아버지바위에 올라가서 말했다. "나이 때문에 할아버지의 소원을 못 이루셨다면 나이를 먹지 않는 바위가 되어 할아버지의 소원을 풀어 드리오리다" 하고 몸을 던져 죽으니 그 옆에 또 하나의 바위가 되어 나란히 서게 되었다.

이 두 바위가 상사바위로 사랑에 병든 사람들을 돌보아 주는 바위로 신앙되어 온 것이다. 지금 할아버지바위 아래쪽에 남아 있는 붉은 반점은 처녀가 죽을 때 흘린 핏자국이라 한다. 이 바위의 윗부분을 잘 살펴보면 왜 이런 이야기가 생겨났는지를 금방 알게 될 것이다.

고깔바위

국사골 북쪽 등성이에 스님이 고깔을 쓰고 앉아 염불하는 모습으로 보이는 바위가 있다. 바위 밑에는 국사골 절터의 탑재들이 굴러 있는데 남산 부석을 마주 보듯 앉아 있는 이 바위도 마을에서 신앙받는 바위의 하나이다.

상사암

냉골에 상사암이라는 바위가 있다.

"상사바위는 금오산에 있다. 그 크기가 백여 발이나 되는데 그 생김새가 가파르게 솟아 있어 오르기가 어렵다. 상사병에 걸린 사람들은 이 바위를 위하고 빌면 병이 낫는다(想思岩在金鰲山其大百餘圍載然屹立不可登躋俗傳崇想思疾者禱此岩有驗云)."

"산아당은 금오산에 있는데 아기 낳는 모습을 돌에 새겨 놓았다. 신라 때 아기를 원하는 사람들이 빌던 곳이라 전하는데 가위와 칼자국이 남아 있다(産兒堂在金鰲山鑿石如産兒狀俗傳新羅時永嗣祈福文處有剪刀痕)."

위의 글은「동경잡기」에 실려 있는 상사암(想思岩)에 대한 기록이다. 상사암은 높이가 약 13미터, 길이가 약 25미터 가량 되는 큰 바위덩이다. 이 바위를 서편에서 보면 냉골 여울에 뿌리 내리고 수십 미터 높이로 솟아오른 첨탑처럼 보이고, 동쪽에서 보면 산등성이 위에 직사각형으로 육중하게 솟아 있어 염라대왕의 궁전을 연상시키는 험상궂은 상이다.

이 바위 동쪽 면에는 가로 1.44미터, 높이 56센티미터, 깊이 30.3센티미터 되는 감실이 파여 있는데 언제나 많은 촛불이 밝혀져 있다. 사랑으로 고민하는 사람들이 기도한 흔적이다. 바위 중간쯤 가로 파인 틈에는 많은 돌이 쌓여 있어 기도한 사람들이 소원 성취를 점쳐 본 흔적을 볼 수 있다. 돌을 던져 그곳에 얹히면 소원이 이루어진다는 증거이고 던진 돌이 떨어지면 바위신이 뜻을 받아주지 않았다는 증거라 한다.

이 감실 아래에 어깨까지의 높이가 80센티미터밖에 안 되는 작은 돌부처가 서 있다. 아마도 남산에서 제일 작은 불상일 것으로 생각되는데 시무외인과 시여원인의 수인으로 보아 삼국시대의 불상이라는 것을 알 수 있다. 여기서 바위 신앙과 불교 신앙이 합쳐진 신라 민중 신앙의 모습을 볼 수 있다.

감실 여래 좌상

남산 동면 부처골에 감실 여래 좌상이 있다. 높이 3.2미터, 밑 나비 4.5미터 되는 바위에 홍예형(虹霓;아치형)으로 감실을 파고 그 속에 여래 좌불을 안치한 것이다. 다소곳이 숙인 둥근 얼굴, 낮은 육계지만 큰 머리, 그 아래로 조용히 부풀어 오른 눈시울에 살며시 그늘을 지으면서 명상에 잠긴 고요한 두 눈이 그려진다.

사색에 차 있는 듯한 모습이다. 둥글고 큰 머리, 소담하게 두 뺨을 형성하고 흘러내린 곡면은 두툼한 입술 양가의 홈에 어리어 한없는 웃음이 피어나온다. 팔짱을 끼고 앉은 몸체는 4각으로 우뚝 솟아 있는데 넓게 놓인 두 무릎은 편안하기만 하다.

이 불상의 조각 수법에는 묘한 모험이 있다. 옷깃 사이로 드러나 보이는 앞가슴을 정사각형으로 파 낸 수법이다. 둥글고 부드러운 얼굴로 나타나 있는 이 불상의 몸체를 사각형으로 새겼다는 것은 지금의 조형 상식으로는 생각할 수 없는 일이다. 그러나 이 감실 안을 한 시야에 넣어 보면 조금도 어색하지 않다. 양쪽 무릎의 곡선 과 발바닥의 곡선이 얼굴의 부드러움과 조화를 이루고 있기 때문인 것이다.

조용히 보고 있노라면 두 어깨에서부터 가늘게 흘러내린 옷주름 들이 소매에서는 폭포처럼 쏟아져서 양 무릎 위를 감돌아 대좌 밑으 로 흘러내려 출렁거리는 선의 율동을 볼 수 있다. 부드러운 옷주름 들은 억센 몸체를 감싸고 흐르면서 성격이 다른 얼굴과 몸체를 하나 로 융화시켜 놓은 것이다.

출렁이는 대좌는 바다요, 덩실하게 놓인 두 무릎은 언덕이요, 사각 으로 우뚝 솟은 몸체는 바위산이라고 볼 때, 그 위의 둥근 얼굴은 솟아오르는 달님이라 느껴지지 않는가? 대자연의 만상을 법계(法 界)라 하고 법계의 만상을 부처와 보살이라 한다는데, 과감한 수법 으로 법계의 모습을 감실 안에 나타내었으니 어찌 놀라운 일이 아니 겠는가?

석수장이가 돌을 쪼아 부처를 만드는 것이 아니고 돌 속에 있는 부처님을 찾아 돌을 쪼고 있다는 시인 청마의 노래 구절이 생각난 다. 감실 속에 있는 이 여래 좌상 역시 토속적인 바위 신앙과 불교 신앙의 합작으로 이루어진 것이다. 학자들의 견해에 따르면 이 불상 은 6세기말경에 조성된 것이라 하니 아마도 남산 부처님 중에서는 제일 나이가 많으신 분이실 것이다.

선각 석가 삼존상과 아미타 삼존상

이 유적은 냉골의 많은 유적 중에서도 손꼽히는 귀중한 유적이다. 그림으로 된 유적이 거의 없는 신라 예술 중에서 가장 그림에 가까운 조각으로 되어 있기 때문이다. 남향한 바위 벼랑이 동서로 있는데 서쪽 바위 면은 나비 3.58미터이고, 높이 4미터 가량 된다. 이 암벽면에서 3미터 뒤에 동쪽 암벽이 있는데 밑나비 7.27미터이고 높이는 서쪽과 비슷하다.

동쪽 면에는 선각으로 석가 삼존상을 새겼고 서쪽 면에는 아미타 삼존상을 새겼는데 역시 선각으로 되어 있다. 동쪽 암벽의 석가 여래상은 편단우견(偏袒右肩；오른쪽 어깨를 드러내어 놓은 모습)으로 가사를 입으시고 큰 복련 위에 결가부좌하여 설법하시는 모습이다. 머리와 몸체 뒤에는 둥글게 선을 그어 두광과 신광을 나타내었다.

왼쪽에 문수보살, 오른쪽에는 대세지보살이 역시 연꽃 위에 서 있는데 머리 뒤에는 두광만 그려져 있고 신광은 없다. 서쪽 암벽에 그려진 아마타 삼존 여래는 반대로 표현되어 있다. 여래상은 연꽃 위에 서 계시고 왼쪽 관세음보살과 오른쪽의 대세지보살은 윤왕좌(輪王坐；한쪽 무릎을 세우고 앉은 자세)로 앉아 있다.

손 모양도 여래상은 설법인을 표시하였고 두 협시보살들은 연꽃 쟁반을 들고 있는데, 여래는 두광만 나타내었고 신광은 없다. 아미타 여래 부처님이 서 계시고 보살들이 앉은 자세로 나타낸 것을 내영 아미타여래(來迎阿彌陀如來)라 하여 선한 사람이 죽었을 때 그 영혼을 마중 오시는 모습이라 한다.

옛날 신라 때에는 얼마나 많은 효자와 효녀들이 이 자리에서 나무 아미타불을 불렀겠는가. 돌아가신 부모님들을 극락에 모시기 위해 밤을 새우며 나무 아미타불을 불렀을 것이다. 그 소리에 아미타여래께서는 몸소 그 영혼을 맞으러 지상으로 오시는 것이다. 아무리 부처님이라 해도 지상의 생명을 마음대로 거느리고 가실 수 있는 것일까? 이 때까지 살아온 동안 생명을 거느리고 계시던 석가 부처님께 양해를 구해야 되는 것이다.

그래서 이 자리는 극락세계의 아미타여래가 이승의 석가 부처님으로부터 생명을 극락으로 인계해 가시는 자리인 것이다. 그 때문에 석가 삼존상과 아미타여래 삼존상이 한 곳에 새겨져 있는 것이다. 한 붓으로 그은 석가여래의 두광과 신광을 보라. 살아서 움직이는 선이다. 아미타여래의 오른 손목의 표현은 단 한 번 그은 선인데 단단한 뼈와 부드러운 살결이 동시에 표현되어 있지 않은가? 이만한 소묘를 하려면 수천 수만 장의 탱화를 그려 본 솜씨가 아니고는 불가능할 것이다. 이 작품들은 8세기 후반 작품으로 추정된다.

그런데 이렇게 조각을 훌륭히 하면서 어찌하여 바위 면을 다듬지 않았던가?

부처님 영(靈)이 깃들어 계신 바위를 어찌 인간들이 파괴하리오. 신라 조상님들은 자연을 파괴하는 것을 두려워하였다. 그래서 될 수 있는 한 자연을 파괴하지 않고 인공을 보탠 것이다. 억만 년 비바람에 씻기고 이지러진 바위 면에 생기 넘치는 필치로 새겨 놓은 이 부처님들은 자연과 인공의 조화로 거룩하게 누리에 빛나는 것이다.

냉골 마애 대좌불

암봉에 있는 대좌불은 남산에 있는 좌불 중에서는 제일 큰 불상이다. 금오산 북쪽 정상에 솟은 거대한 바위 봉우리를 냉곡 암봉(冷谷岩峯)이라 부른다. 두 개의 봉우리로 되어 있는데 남쪽 봉우리의 뒷면은 상사암이고 북쪽 봉우리는 봉생암(鳳生岩)이라 부른다. 바위에서 서쪽으로 보면 배리(拜里) 평야가 보일듯 말듯 멀고 동으로 바라보면 천태만상을 이룬 상사암이 하늘에 떠 있는 듯 장엄하게 솟아 있다.

주산(主山)이 되는 북쪽은 냉곡 암봉의 정상인데 준엄하게 솟아 있다. 남쪽은 천길 절벽이고 눈앞의 금오산은 정상만 삼각으로 우뚝 솟아 마주 보이니 이 불상의 안산이다. 이렇게 신령스러운 바위 산 허리에 평평한 터(6미터×4.3미터)가 천연으로 마련되어 있다. 터의 북쪽 바위 면에는 높이 7미터, 나비 5미터 되는 배광(背光) 형으로 생긴 바위가 절벽을 이루고 있으니 이곳은 하늘이 정해 주신 부처님 영지(靈地)라 하겠다.

신앙의 정열에 불타던 신라 사람들이 이렇게 신령스러운 곳을 그냥 버려 둘 리가 없다. 이 배광형 바위에다가 큰 부처의 좌상을 새겨 놓았다. 나비 4.2미터 되는 큰 연꽃 위에 결가부좌하여 오른손 은 가슴 앞에, 왼손은 배 앞에 들어 설법하시는 모습이다. 대좌의 꽃송이는 두 겹으로 되었는데 꽃잎마다 보상화로 장식된 화려한 연꽃이다. 꽃 위에 앉은 불상의 높이는 5.21미터이고, 무릎 나비는 3.5미터이다. 머리는 배광면에서 66.6센티미터나 튀어 나와 입체상 에 가까울 정도로 사실적이며 몸체는 바위 면을 이용하여 부피 없는 선각으로 새겨 놓았지만 불상의 몸체는 빈약하게 느껴지지 않는 다. 바위 자체가 갖고 있는 양감(量感)이 둥근 머리와 충분한 균형을 이루고 있기 때문이다.

사각에 가까운 머리는 풍만하며 가늘고 긴 눈이 정면을 내다보는 데, 예리하게 다듬어진 코는 굳세며 굵은 눈썹은 단정하게 초생달을 그리고 있다. 입술은 굳게 다물었고, 군턱이 있고 살찐 두 뺨과 입 언저리에 조용한 미소가 감추어져 있다. 삭발한 머리에 육계가 나지 막하고 큰 귀는 어깨까지 닿아 있다. 불상이 새겨진 바위 면 전체가 약간 뒤로 기울어져 있기 때문에 먼 하늘을 바라보면서 누리를 제도 하고 계신 듯 느껴진다. 머리만 인공으로 다듬었을 뿐 바위를 몸체 로 삼아 주위 환경과 조화를 이루어 놓은 것이다. 몸체를 머리와 같은 수법으로 조각하지 아니하고 바위 모양을 이용하여 반자연 반인공으로 표현한 것은 예배하는 사람의 마음을 배경인 바위산으로 끌어들이려 함이었다.

냉곡 암봉

남산에서 제일 큰 바위 봉우리이다. 이 바위에 새겨진 대불이 몸체도 얼굴처럼 입체적이며 사실적으로 새겨졌다면 불상은 바위산에서 분리되어 예배하는 사람 앞으로 튀어 나올 것처럼 느껴질 것이다. 몸체는 인공을 생략하여 바위산에 조화를 이루어 놓았으므로 예배하는 사람의 정신은 바위 속에 숨어 계신 부처님 영(靈)에 예배하도록 되어 있다. 그러나 큰 바위산이 부처님 계신 법당으로 승화되었다.

부처님이 계신 산을 훼손하거나 변경시킬 수 있을까. 자연과 조화시켜 절을 짓고 부처님을 새겼으므로 남산에 있는 탑이나 부처님을 박물관으로 옮긴 것은 아름다움을 파괴한 것이다. 남산의 유물은 남산에 있어야 유물도 살고 자연도 선경이 되는 것이다.

부엉드미

부엉드미는 큰 바위 벼랑인데 쳐다보면 바위 꼭대기에 구름이 걸릴 것 같고 밑으로는 여울물이 하얀 거품을 일으키며 흘러간다. 낮에도 부엉새가 우는 험하고 깊은 골이라 하여 이 골짜기를 부엉골(포석골)이라 하는데 요사이 와서는 부홍골(富興谷)로 잘못 해석되어 계곡에 있는 절을 부홍사라 부르고 있다. 이 계곡은 휴게소로 이용될 만큼 골이 깊고 물이 많으며 경치가 아름답다.

자연과 더불어 숨쉬는 소박한 석탑

늠비봉의 탑

두 줄기 여울물이 합쳐지는 사이에 늠비봉이라 불리는 삼각산이 솟아 있다. 늠비봉은 높이 100미터 가량 되는 바위산이다. 여기에 가장 높이 솟아 있는 바위 윗면을 잘라 내고 깨뜨린 석재들을 이용하여 기단을 만들고 그 위에 삼층 탑을 쌓아 올렸다.

네 개의 석재를 조립하여 하나의 지붕을 만든 것인데 낙수면 네 모서리에는 추녀 마루를 새겨 기와집을 사실적으로 본떠 세운 탑이다. 대개의 탑들은 석면을 곱게 다듬는데 이 탑은 거칠게 정 자국을 남기었다. 때문에 자연적인 바위산에도 어울리고 인공적인 탑에도 어울리도록 기단부에서 인공을 생략하여 반자연, 반인공으로 처리한 것이 이 탑의 큰 장점이라 하겠다.

만약 이 탑을 박물관으로 옮겨 놓는다면 미완성품이 될 것이지만 이 바위산에서는 완성품이다. 불과 7미터 정도의 작은 탑이지만 100미터 되는 산과 연결되어 하늘과 통하는 높은 탑으로 승화된다. 계곡 어디에서나 저 탑이 보이는 한 옷깃을 여미게 되니 저 작은 탑으로 불국정토의 영감을 이 큰 계곡에 채워 놓은 것이다. 자연과 더불어 숨쉬는 신라의 아름다움은 주위 환경과 함께 보아야 하는 것이다.

포석정 석탑

목조탑을 본뜬 석탑이 포석정 북서쪽에 또 하나 있다. 나지막한 언덕 위에 다듬지 않은 석재들을 모아 기단을 만들고 얼금얼금 다듬은 돌로 세운 탑인데 네 개의 석재를 조립하여 하나의 지붕을 만든 솜씨나 낙수면 모서리에 추녀 마루를 새긴 솜씨는 늠비봉 석탑 그대로이다. 그러나 이 석재는 검붉은 색이고 늠비봉처럼 높은 곳이 아니라서 높은 기상은 볼 수 없다. 그러나 자연과 인공이 연결된 구수한 모습에서 자연과 함께 숨쉬는 우리 겨레의 숨결을 엿볼 수 있다.

지금 석재들은 다 없어지고 한 개분의 지붕 옥개석 네 토막이 언덕 위에 있고, 또 한 토막의 옥개석이 언덕 밑에 구르고 있다. 옥신이라 생각되는 석재도 대각선으로 잘려져 무덤 장식으로 이용되고 있다. 옥개석 추녀 나비(네 개를 모은 것) 2미터, 다음 층 옥신 나비 86센티미터, 옥신 나비(괴임까지) 1면 76센티미터, 옥개 두께 42센티미터이다. 낙수면은 급경사를 이루다가 추녀 끝에서 약간 들리듯 넓게 뻗쳐 있으므로 목조 기와집을 실감케 한다. 이렇게 석재를 얼금얼금 다듬은 것은 자연과 조화를 이루려는 노력이었던 것으로 생각된다.

잠늠골 삼층 석탑

진신석가(眞身釋迦)께서 계셨다는 비파골에 잠늠골 사지가 있다. 이 절은 아마 진신석가의 영지를 지키기 위한 절이었을 것이다. 사지 옆에는 가파르게 솟은 삼각산이 있고 이 산 위에 석탑이 있으니 마을 사람들은 잠늠골 석탑이라 부른다. 먼저 눈에 띄는 것은 불규칙하게 깨뜨려 놓은 6면체의 석재(石材)로 된 이 탑의 기단석이다. 다만 탑신이 놓일 윗면만 대강 다듬었을 뿐 다른 부분은 다듬지 않았다. 그 밑에 탑신과 옥개석이 뒹굴고 있지 않는다면 누가 이 석재를 화려한 탑의 기단이라고 짐작이나 하겠는가.

기단석 밑에는 곱게 다듬은 첫 옥신과 옥개석이 뒹굴고 있는데 옥개석 추녀는 날씬하고 옥개 받침은 4단이다. 10미터 가량 서쪽에 2층 옥개석이 뒹굴고 있는데 조금 작을 뿐 맵시는 첫 옥개와 같다.

나머지 탑재들은 모두 없어져 버렸으나 이 탑을 복원한다면 상륜부를 제외한 높이가 3미터 정도밖에 안 되는 작은 탑이다. 그러나 이 탑은 조형미에 있어서 위대한 아름다움을 지니고 있으니 그것은 거칠게 다듬어 놓은 기단석의 힘이다. 기단석이 탑과 삼각산을 하나로 연결시켜 놓았기 때문이다. 4각이 8각으로 변하고 8각이 둥근 원융(円融)의 세계에 이르러 맑은 연꽃으로 모습을 바꾸는 불국사의 다보탑과도 같은 아름다움이다. 지상의 모난 모습이 8각을 거쳐 하늘에 이르러 부처님의 둥근 마음으로 승화되는 감격을 느끼게 한다. 거칠은 기단석이 다보탑의 8각과 같은 기능을 발휘하고 있기 때문이다.

양피사의 쌍탑

"남산 동쪽 산기슭에 피리촌(避里村)이 있었다. 이 마을에 절이 있었는데 마을 이름을 따서 피리사(避里寺)라 불렀다. 이 절에 한 스님이 계셨는데 어디서 왔는지 아는 사람이 없었다. 늘 법당에 앉아 나무 아미타불을 암송하였는데 그 소리가 낭랑하여 신라 서울 17만 8936호 360방(坊)에 들리지 않는 곳이 없었다. 근심, 걱정, 화난 사람도 이 염불 소리를 들으면 곧 마음이 편안해졌다. 사람들은 그를 염불사(念佛師)라 불렀다. 사후에는 그 모습을 소상(塑像)으로 만들어 민장사(敏藏寺)에 모시고 피리사를 염불사(念佛寺)로 고쳐 불렀다. 이 부근에 또 한 절이 있었는데 양피사(讓避寺)라 했으니 마을 이름을 따서 얻은 이름이다."(三國遺事 避隱 第八)

지금 양피사 터에는 쌍탑이 서 있을 뿐이다. 쌍탑 옆에는 못이 있으며, 마을 사람들은 양기못이라 부르고 있으나 경주 통지에는 양피못(楊避堤)으로 기록되어 있다.

「삼국유사」 사금갑(射琴匣)조에 이 못에 대한 기록이 있는데, 못 속에서 한 노인이 글을 가지고 나타났다는 것이다. 못 이름으로 인해 이곳 절 이름이 양피사(壤避寺)였다는 것을 알 수 있는데 2기의 석탑은 21미터 간격을 두고 동서에 나란히 서 있다.

동탑

단층 기단 위에 삼층으로 쌓은 전탑을 모방한 석탑 곧 모전석탑이다. 기단은 여덟 개의 직사각형 석재로 쌓았는데 이음자리가 모두 어긋나(⊟) 있으므로 서로 엇물리어 든든하게 보이고 변화가 있다. 다만 남쪽 면만은 이음자리가 밭 전(田)자로 어긋나지 않아, 가운데를 직사각형으로 파 내고 쐐기를 박아 넣었다(⊞). 그래서

아(亞)자 무늬가 되었으니 우리 겨레가 동경하는 아름다움이 권태롭지 않은 변화에 있다는 것을 알 수 있다.

첫 옥신은 3단의 높은 괴임돌 위에 놓여 있기 때문에 웅장하고 위엄스럽게 보인다. 네 귀에 기둥(隅柱)이 없는 것은 벽돌탑을 모방하였기 때문이다. 옥개 받침은 5단으로 되어 있는데 추녀는 곡선이 없이 일직선으로 뻗어 있고 3층 지붕 위에는 노반(露盤)까지만 있고 위의 상륜부는 없어졌다. 분황사의 모전탑을 충실하게 모방한 석탑은 신라 탑에서만 볼 수 있는 특색으로 이 탑은 곡선이 없고 직선으로만 구성되어 장중하고 힘찬 느낌을 준다.

서탑

동탑이 전탑을 본뜬 석탑인 데 비해 서탑은 목조탑을 본뜬 석탑이라 할 수 있다.

이 탑은 첫 옥신 나비(1.08미터)의 두 배가 상층 기단 나비(2.22미터)가 되고 하층 기단 나비(3.09미터)가 첫 옥신의 약 세 배가 되는 비례를 지니고 있다. 또 이 기단은 가장 안전한 삼각 구도로 구성되어 있다. 안정된 기단 위에 1,2,3층 옥신들이 급격히 체적을 줄이면서 솟아올랐으니 한없이 경쾌한 느낌을 준다. 더구나 지붕 추녀의 양끝은 날씬한 곡선으로 날듯이 퍼져 있어 시원스럽다.

추녀 양끝이 들린 부분을 전각(轉角)이라고 하는데 신라 탑들은 9세기를 전후한 시대에 이르러 전각이 예쁘게 들리면서 날렵한 맵시를 나타낸다. 이 탑도 그 한 예라 하겠다. 9세기경의 신라 탑에는 또 하나의 특색이 있다. 하층 기단 면석에 십이지신상을, 상층 기단 면석에는 팔부신중(八部神衆)을 그리고 첫 옥신 사면에는 사천왕을 새긴 점이다. 이렇게 많은 조각으로 장식하는 것은 다만 탑을 화려하게 장엄하려는 데 있지 않고 부처님을 수미산(須彌山) 위에 모시려는 신앙의 바람인 것이다.

부처님의 나라는 수미산 위에 있다. 수미산 위엔 사왕천이 있고 도리천이 있다. 사왕천은 하늘의 문턱인데 사천왕이라는 무서운 네 장수가 동서남북을 지키고 있으므로 세상의 어떠한 힘으로도 하늘을 오염시킬 수 없는 곳이라 해서 신앙했던 것이다.

사왕천 가운데에 높은 산이 하나 솟아 있으니 그 산꼭대기가 도리천이다. 도리천에는 제석천왕(帝釋天王)이 삼십삼천을 거느리고 산다. 우리 땅의 세계는 도리천으로 끝나고 그 위는 구름 위의 하늘나라다. 그곳에 부처님들이 살고 계시다. 첫째가 야마천(夜摩天)이고 그 위가 도솔천(兜率天), 낙변화천(樂變化天), 타화자재천(他化自在天)이다.

팔부신중(八部神衆)이란 하늘 아래에서 지옥까지 여러 세계의 대표자들이다. 용은 비바람을 다스리는 신이며 머리에 용관(龍冠)을 쓰고 손에는 여의주를 들고 있으며 건달바(乾闥婆)는 음악과 향기의 신인데 사자탈을 쓰고 있다. 긴나라(緊那羅)는 사람도 아니고 짐승도 아닌 인비인(人非人)이라는 신인데, 머리 양옆에 말머리와 소머리가 달려 있다.

가루라(迦樓羅)는 새들 세계의 왕인데 입이 부리처럼 되어 있고 마후라가(摩喉羅迦)는 뱀을 손에 쥐고 있는 뱀신이다. 야차(夜叉)는 귀신 나라 대표인데 입에 염주를 물고 있다.

천(天)은 하늘을 의미하는 신으로 금강 방망이를 들고 지상을 노려보는 무서운 얼굴을 하고 있다.

아수라(阿修羅)는 지옥의 왕인데 얼굴이 셋이고, 여덟 개의 팔이 달려 있다. 두 개의 팔에는 해와 달이 들려 있고 여섯 개의 팔에는 각각 무기가 들려 있다. 아수라가 화가 나면 여덟 개의 팔을 휘둘러 온 세상이 뒤죽박죽이 되게 하며 그런 상태를 수라장이라고 표현한다. 탑 상층 기단에 이와 같은 팔부신중을 새기는 것은 탑 상층 기단이 하늘 아래서 지옥까지라는 표현이고, 첫 옥신에 사천왕을 새기는 것은 기단 위부터는 하늘 위의 부처님 정토라는 뜻이다.

그리고 하층 기단에 십이지신상을 새기는 예도 있는데 십이지신상은 수미 세계의 둘레를 지키는 신들이다. 양피사 서탑의 상층 기단 면석에는 팔부신중만 새겼다. 이러한 조각의 뜻은 부처님 사리를 수미 세계의 부처님 정토에 모시려는 신앙의 염원이다.

양피사의 동탑은 직선으로 구성되어 육중하고 힘차게 보이는 탑이고, 서탑은 곡선을 그리며 층층이 솟아오른 추녀이며 여러 가지 조각들로 화려하게 장엄된 부드러운 탑이다. 신라 대궐 안에 나란히 솟아 있던 분황사 탑과 황룡사 탑을 축소해 놓은 모습이 아닐까? 이와 같이 쌍탑을 대조적으로 변화 있게 세운 것도 신라 예술의 한 장점이라 할 수 있을 것이다.

국사골 1사지 삼층 석탑

국사골에는 세 곳의 절터가 있다. 북쪽 터에서부터 1,2,3사지로 번호를 붙였다. 1사지에는 성벽을 연상하리만큼 큰 돌축대가 있고 작은 돌축대도 여러 곳에 있어 큰 절터였음을 말해 주고 있다. 4단의 돌축대가 층층으로 있다. 제일 높은 곳에 석탑의 석재들이 허물어진 채 뒹굴고 있는데 높이 490센티미터 되는 작은 탑이다. 2단으로 된 괴임돌 위에 단층 기단을 마련하고 그 위에 삼층 탑신을 쌓아 올린 전형적인 신라 탑이다. 기단의 대각선 길이는 기단 갑석 나비와 같고 괴임돌 위부터 첫 옥신 높이와도 같은 비례가 된다.

첫 옥신의 대각선 길이는 첫 옥신과 옥개석을 합한 높이와 같다. 이층 옥신 대각선 길이는 첫 층 옥개석 나비의 ½에 해당하고, 삼층 옥신 대각선 길이는 이층 옥개석 나비의 ½에 해당한다. 대각선 길이와 같은 비례로 높이나 나비를 재단하는 것을 황금 비율이라 하는데 이 탑의 아담한 맵시에도 황금 비율의 비밀이 숨어 있다. 이 탑은 층층으로 세워진 여러 건물보다 높은 곳에 자리잡고 솟아 있었으므로 비록 작은 탑이라 하더라도 누각 위에 세운 탑처럼 높게 보였을 것이다.

창림사 삼층 석탑

창림사(昌林寺)는 남산에 있는 백여 절터 중, 이름이 밝혀진 몇 개 절터 중의 하나이다. 지금 법당 자리에는 주춧돌들이 뒹굴고 있고 법당 자리 앞에는 사적비(寺蹟碑)를 세웠던 두 마리의 돌거북만이 있다. 화려 장엄하던 전각들은 모두 사라졌는데 오직 흰 화강석의 3층 탑만이 옛날을 말하듯 우뚝 솟아 있다.

이 탑은 남산에 있는 61기의 탑 중에서 가장 거대한 탑이다. 상륜부를 제외한 높이가 7미터이고 아래기단 나비가 4.5미터이다. 상층 기단 면석에는 팔부신중상들이 새겨져 있고, 첫 층 사면에는 쌍바라지문이 사방에 새겨져 있는데 문고리까지 정연하다. 부처님 영이 드나드는 문이라는 뜻이리라.

그 위에 체적을 줄이면서 2,3층이 얹혀 있는데 옥개 받침이 5단으로 되어 있어 팔부신중이 새겨져 있지 않다면 누구나 통일 초기 내지 중기 탑으로 볼 것이다. 하층 기단 기둥이 5개로 된 것도 신라 하대 탑들과는 다르기 때문이다. 부처님을 하늘 세계에 모시기 위해 팔부신중을 기단에 새긴 것으로는 이 탑이 최초의 예가 아닐까 생각된다.

팔부신중상은 아깝게도 반은 없어지고 지금 남아 있는 것은 천부상, 건달바, 마후라가, 아수라상뿐인데 그 중 아수라상의 보존 상태가 좋다. 구름을 타고 하늘에서 내려오는 모습들인데 풍성한 양감과

박력 있는 자세에서 영기(靈氣)가 넘치는 듯하다. 휘날리는 천의 (天衣) 자락의 부드러운 율동을 어찌 돌에 새긴 조각이라 할 수 있을까? 강함과 부드러움이 하나로 융화된 신라 예술의 걸작품이라 할 만하다.

창림사 탑은 1977년경까지 허물어진 채 탑재들이 부근에 뒹굴고 있었다. 1978년 그 자리에 세웠는데 팔부신중이 새겨진 상층 기단 면석 네 개는 찾지 못하고 지금 네 개만 상층 기단에 배치되어 있다. 그 중 아수라상이 제일 선명한데 얼굴이 셋이고 팔이 일곱 개 달린 괴상한 모습은 지옥을 다스리는 왕답다. 눈을 바로 뜨고 굳게 다문 입술에서 절대로 용서 않을 엄격함을 느낄 수 있으나 무서운 얼굴은 아니다. 좌우의 얼굴은 분노상 같으나 그렇게 무섭게 조각하지 않았다. 지옥도 무서운 곳이 아닌 엄한 곳으로 표현되어 있다.

큰 체구에 철갑 옷 차림으로 구름 위에 평좌로 앉았는데 위풍당당하다. 위로 올려 든 두 손에는 해와 달이 들려 있고, 두 팔은 앞으로 들었는데 오른손은 금강 방망이를 들어 가슴에 올렸고 왼손엔 해골과 뼈를 쥐어 배 앞에 들고 있다. 지옥의 왕임을 표시하고 있는 것이다. 금강 방망이를 든 팔 뒤에 칼을 든 팔이 있는데 왼쪽에는 팔이 없다. 팔 새길 공간이 부족하기 때문에 과감히 생략한 것이리라.

그 다음 두 팔을 좌우 무릎 위에 얹었는데 오른손에는 갈고리가 쥐어져 있고, 왼손에는 염주가 들려 있다. 아수라의 얼굴이 셋인 것은 아수라의 세 가지 성격을 나타낸 것이고 여덟 개의 팔은 아수라의 무한한 힘을 나타낸 것이다. 이렇게 눈에 보이지 않는 성격이나 힘을 초현실 예술로 표현한 것이다.

이 탑의 건립 연대를 지금까지는 문성왕 17년(855)으로 추정해 왔다. 조선 말기의 대서예가인 추사 김정희 선생이 '창림사 무구정탑 원기(昌林寺無垢淨塔願記)'를 모사해 놓은 글이 남아 있는데 원래는 동판에 새겨져 있는 것을 그대로 모사한 것으로 '국왕 경응조 무구정탑 원기(國王慶膺造無垢浄塔願記)'로 시작된다. 국왕이 탑을 세우고 축원한 뜻을 새긴 글인데 당 대종 9년(문성왕17년, 855년)에 세웠다고 적혀 있다.

원기를 새긴 동판의 크기는 30×24센티미터이며 이 탑의 사리공(舍利孔)은 지름 33.3센티미터의 둥글게 패인 구멍이다. 따라서 직사각형으로 된 이 원기를 둥근 사리공에 넣으면 네 모서리가 각각 2.5센티미터 정도 걸리기 때문에 넣을 수가 없다.

창림사에는 팔부신중이 새겨진 또 하나의 탑이 있었다. 그 석재들은 박물관으로 옮겨 진열되어 있는데, 조각 솜씨가 하대로 떨어지는 작품들로 9세기 중엽의 것으로 봐도 좋을 것이다. 따라서 추사 선생이 묘사한 창림사 무구정탑 원기는 박물관으로 옮겨진 탑의 것으로 봐야 할 것이다.

박물관에 있는 탑재의 기단 면석은 높이 861센티미터, 나비 92센티미터, 우주 나비 18센티미터인데, 지금 창림사 터에 서 있는 탑의 기단 면석은 높이 110센티미터, 나비 110센티미터, 우주 나비 28센티미터로 규모가 크다. 법당 앞에 있는 비석에는 신라 명필인 김생(金生)의 글씨가 새겨져 있어 멀리 당나라까지 알려졌다는데 지금은 비신(碑身)이 없어지고 돌거북만 남아 있다.

「삼국사기」에 의하면 김생은 성덕왕 신해년(711)에 태어나서 80세가 넘도록 붓을 놓지 않았다고 한다. 예서, 행서, 초서에 다 뛰어났으므로 신필(神筆)이라 했다고 한다. 김생이 80세 때는 원성왕 7년이므로 서기로는 791년이 된다. 따라서 창림사 탑의 연대도 이 시기보다 앞서는 신라 예술의 전성기로 보아야 할 것이다.

남아 있는 쌍귀부
모서리가 부드러운 사각대석(186.4×163.6센티미터) 위에 두 마리의 돌거북이 큰 비석(나비 104.5, 두께 24센티미터)을 등에 업고 고개를 들어 유쾌하게 기어가는 모습을 새긴 것이다.

거북 한 마리의 크기는 나비 86.3, 길이 142.5, 높이 38.5센티미터이다. 지금은 두 마리가 다 머리가 떨어지고 없는데 그 중 한 마리의 머리는 경주박물관에 진열되어 있고 한 마리는 1980년경 서울의 어느 골동상에서 가져갔다고 하는데 행방을 알 수 없다. 무열왕릉 거북은 목을 길게 뽑아 들고 먼 앞을 내다보는 힘찬 기상인데, 이 거북들은 얼굴을 높이 들어 뒤로 젖히고 입은 크게 벌려 둥근 구슬을 물고 있어 거북이 용의 모습으로 바뀌어 가고 있는 과정이다.

이러한 과정을 거쳐 신라 말기나 고려시대가 되면 거북들은 모두 용의 얼굴로 나타나게 된다. 이 거북들의 목에 뱀처럼 복린(腹鱗)이 새겨져 있는 것도 변해 가는 모습이라 하겠다. 복린이 바깥쪽으로 향해 있는 것은 이 거북들이 서로 바깥쪽을 보고 기어가고 있다는 증거이다. 또 바깥쪽 발은 땅을 딛고 있으나 안쪽 발은 옆으로 밀치면서 헤엄치듯 기는 모습이다.

발은 귀갑 속에서 조금만 나와 있고 꼬리는 모두 오른쪽으로 돌리고 있다. 무열왕릉 거북처럼 힘찬 기상은 아니라도 거북의 발에서는 피가 도는 듯한 따뜻한 체온을 느끼게 된다. 거북의 잔등도 일정한 육각으로 철갑을 새긴 것이 아니고 여러 형태의 귀갑이 모나지 않게 사실적으로 나타나 있다. 더욱이 귀갑 가운데가 부풀어 약간의 언덕을 이루고 있어서 느껴지는 부드러운 촉감을 어찌 단단한 돌이라 할 수 있을까.

신라의 아름다움은 강함과 부드러움의 조화라 했는데 여기서는 부드러움만 느껴진다. 잔등 위의 비신이 있던 자리는 나비 87.7센티미터, 두께가 19.3센티미터인데 여기는 비신의 밑 부분이 있었던 자리로 비면보다 조금 좁고 얇게 되어 꽂게 되었을 것이므로 아마도 비신은 이 크기보다 더 넓었을 것이다.

빛깔있는 책들 103-6

경주 남산(하나)

글 / 윤경렬
사진 / 김구석, 윤열수
발행인 / 김남석
발행처 / 주식회사 대원사

편집이사 / 김정옥
전   무 / 정만성
영업부장 / 이현석

첫 판 1쇄 —1989년 5월 15일 발행
첫 판 9쇄 —2003년 4월 30일 발행
재 판 1쇄 —2011년 8월 15일 발행

135-940 서울 강남구 일원동 일원동 640-2
전화번호/(02) 757-6717~9
팩시밀리/(02) 775-8043
등록번호/제 3-191호
http://www.daewonsa.co.kr

책값/8500원

Daewonsa Publishing Co., Ltd.
Printed in Korea(1989)

ISBN 978-89-369-00045-8 00980

빛깔있는 책들